KB171774

찬란한 우울증과 공황장애

최다연 지음

찬란한 우울증과 공황장애

발행	2022년 07월 22일
저자	최다연
펴낸이	한건희
펴낸곳	주식회사 부크크
출판사등록	2014.07.15.(제2014-16호)
주소	서울특별시 금천구 가산디지털1로 119 SK트윈테크타워 A동 305호
전화	1670 – 8316
E-mail	info@bookk.co.kr
ISBN	979-11-372-8989-5

www.bookk.co.kr

ⓒ 최다연, 2022
본 책은 저작자의 지적 재산으로서 무단 전재와 복제를 금합니다.

찬란한 우울증과 공황장애

최다연 지음

목차

프롤로그 6

1장 '나'라는 씨앗을 심어보니

01   Speech 14

2장 새싹이라는 이름으로

01   꿈의 시작 20

02   절대수감 30

03   나비의 자유로운 비행 33

3장 네게 한 줄기 잎이 떨어지고

01   빨간불 46

02   정해진 숲길 50

03   공부, 그것이 뭐라고 54

04   고군분투 59

4장 작은 것들을 위한 열매

01   정원과 구름 사이 햇빛 같은 존재 70

02   우리들의 그네 75

03   책의 힘 85

04   찬란한 책 93

05   復 회복할 복 97

Intermission

<찬란함을 위한 시>

이면 · 104 / 스펙 · 105 / 이겨내려 하지 않아도 · 106 / 인생이란 · 107 / 수레바퀴 · 108 / 흑백 · 109 / 편지의 설렘 · 110 / 미로 속 다이아몬드 · 111 / 마음속 작은 움직임 · 112 / 공허한 온기 · 113 / 언젠간 그러나 반드시 · 114 / 팔레트 · 115 / 빈 스케치북 · 116 / 쉽게 무너진 나, 다시 일어설 나 · 117 / 구겨진 신문지 · 118 / 내일의 날씨만 예측하지 말고 오늘의 날씨를 둘러보자 · 119 / 날 기다려 보아 · 120 / 바람에 흔들리는 걸까 · 121 / 봄이 올 거란 말 대신 · 122 / 나의 작은 꽃 · 123 / 방황 · 124 / 처절한 나의 처지 · 125 / 무기력이라는 이름으로 · 126 / 부러움 · 127 / 고마움 · 128 / 알고 있어요, 속상하시다는 것을 · 129 / 천둥과 무지개 · 130

에필로그   131

우리는 공황장애를 흔히 연예인이 많이 걸린다고 해서 '연예인병'이라고도 부릅니다. 그래서 그럴까요, 공황장애를 경험해보지 못한 사람들은 얼마나 힘들고 고된지 잘 모릅니다.

우울증도 마찬가지입니다. 보통 사회에서는 마음의 감기라고 부르지만 많은 사람들은 우울증이 어떤 병인지, 어떤 감정들에 휩싸이게 되는지 잘 모릅니다. 그러나 이러한 공황장애와 우울증에 대한 무지에 비해 우리 사회에 공황장애와 우울증을 앓고 있는 사람들은 생각보다 많습니다. 특정한 연령층에서만 나타나는 것이 아니라 전 연령층에서 나타나고 있습니다.

저는 17세라는 어린 나이에 우울증과 공황장애가 찾아왔습니다. 처음에는 당황스러웠습니다. "그 연예인들이 잘 걸리는 병에 내가 걸렸다고? 왜? 나에게?"라며. 그리고 한참이 흐른 뒤에야 인정하게 되었습니다. 연예인들만이 아니라 내 주위에 우울증이나 공황장애를 앓고 있는 사람들이 꽤 있었기 때문이었습니다. 그러나 사회는 인정해주지 않는 분위기 같았습니다.

우울증으로 당장이라도 내려놓고 싶은 마음이 들어서, 공황장애로 너무 몸과 마음이 지치고 다쳐서 모든 것을 포기하고 싶은 마음이 들 때, 일부 친구들을 비롯한 주위 사람들은 그걸 배려해주고 이해해주지 않는 것 같았습니다.

고등학교 휴학을 하기 전 수능 준비를 위해 청소를 해야 하는 날 학교에 반장으로서 나간 적이 있습니다. 며칠째 결석하고 있을 때였기에 오랜만에 반 친구들을 만난 날이었습니다. 수능 준비로 청소를 도맡아 반을 이끌고 있는데, 그때 당시 저는 우울증이 심화되었고, 공황장애가 절정에 이르러 아무것도 먹지 못하며 정말 힘들어하고 있을 때였습니다. 많이 예민해진 상태였지만 반장의 역할을 최선을 다해서 완벽하게 해냈습니다. 그러나 친구들의 시선은 모두 나의 예민함에 맞춰져 있었습니다. 내가 정말 힘들고 지쳐서 예민할 수밖에 없음을 알아주지 못하고, 단순히 예민하다는 것에 화를 내고, 등을 돌린 친구들이었습니다.

그 순간들을 겪고 나니 너무나도 서운하고 힘들었습니다. 왜 그들은 나를 이해해주지 못하는 것일까? 내가 우울증과 공황장애를 앓고 있다는 것을 알고 있으면서 어떻게 그런 심한 말들을 할 수 있을까? 시간이 지난 후 돌아보니 그들은 이해를 안 해주는 것이 아니라 이해를 못하는 거였고, 배려해주고 싶어도 배려의 방법을 모르는 것이었습니다.

 이러한 우울증과 공황장애에 대한 무지와 편견 등이 제가 이 글을 쓸 수 있도록 이끌었습니다. 우울증과 공황장애라는 병이 어떤 병이고, 어떤 생각을 하게 하며, 어떤 감정에 휩싸이는지 보여주고 싶었습니다. 연예인만 걸리는 것이 아니라 17세에 우울증과 공황장애가 찾아온 것처럼 주위에 누구든지 걸릴 수 있다는 것을 보여주고 싶습니다.

 또한, 17세라는 어린 나이에 우울증과 공황장애가 찾아온 만큼 꿈을 향해 다가가는 길에 큰 장애물이 생겼습니다. 꿈을 이루기도 전에 말입니다. 그래서 오랜 시간 많은 피땀을 흘려가며 우울증과 공황장애를 극복해나가고자 노력했습니다.

 아마 17년의 인생에서 가장 열심히 삶을 살아간 시기가 아니었나 싶습니다. 하지만 이때는 몰랐습니다. 이렇게 한 가지 목표를 이뤄내기 위해 최선을 다한 경험이 인생에 얼마나 큰 영향력을 미칠지… 우울증과 공황장애라는 장애물이라고 할 수 있는 큰 벽이 제가 가고자 하는 길에 우두커니 세워져 있어 방황했지만 소중한 인생 경험이라는 선물을 주었습니다.

그 선물은 인간관계, 삶과 죽음, 행복, 진로 등 삶에 꼭 필요한 영양분들과도 같았습니다. 그렇게 저는 우울증과 공황장애를 겪으면서 어디선가 나와 같이 힘들어하고 있는 이들에게 도움이 되지 않을까 하는 마음에 하루하루 경험한 깨달음과 변화, 소중한 순간들을 기록하기 시작했습니다. 우울하다고 그저 방 안 침대에만 있었던 것이 아니라 이를 이겨내고 밖으로 나와 글을 쓰기 시작한 것이죠.

내가 직접 사회에 뛰어들어 쌓은 지식과 경험이 사회에서 방황하고, 새 희망과 꿈을 꾸고 있는 이들에게 도움이 되지 않을까 하는 마음도 있었습니다. 이렇게 한 땀 한 땀 글을 쓰고, 지우고를 반복하다보니 하루의 소중한 경험이 하나의 작품이 되어가고 있는 것을 발견했습니다.

그 작품은 어디선가 나와 같이 힘듦을 겪고 있는 이에게 따뜻한 위로와 공감을 해 줄 수 있는…

또는 고등학생의 시선에서 바라본 인생에 한해서 삶의 조언을 해 줄 수 있는…

나의 소중한 삶과 우울증, 공황장애 극복 이야기를 들려드릴 수 있는…
그런 책으로 말이죠.

이렇게 소중하고 공감과 위로의 메시지를 담고 있는 책에는 어릴 적 저의 삶의 일부와 입시라는 경쟁 사회에 뛰어들고 나서 바뀐 학생으로서의 삶, 어떻게 우울증과 공황장애를 극복해왔는지, 그리고 우울증과 공황장애를 겪으며 혹은 학생으로 삶을 살아가며 배우게 된 인생과 조언 등이 담겨 있습니다. 부디 저의 이야기가 읽는 이들에게 우울증과 공황장애를 극복해나가는데 버팀목과 같은 역할이 되고, 삶을 살아가는데 큰 공감과 위로가 되어 독자와 글쓴이가 한층 가까워지는 계기가 되었으면 하는 바람입니다.

2022년 7월
최다연

1장
'나'라는 씨앗을 심어보니

Speech

—— Speech

 이 에세이를 조금이나마 더 잘 공감하고 깊은 이해를 위해 '나'에 대해 소개보려고 한다.

 나에게는 누구라도 바로 알아차릴 수 있는 성격이 있다. 바로 철저한 완벽주의자.

 모든 걸 내 성에 찰 때까지 완벽하게 해내야 한다. 그게 개인이든, 팀이든지. 완벽이라는 것의 기준은 정확하게 있지는 않지만 내 눈에 완벽이란 내 성에 차는 데까지이다. 그 이상도 그 이하도 아닌 딱 내가 생각하는 완벽의 기준점.

 나의 완벽주의적 성격은 학교 글쓰기 수행평가에서 분명하게 드러난다. 하나는 국어 수행평가, 또 다른 것은 한국사 수행평가였다. 국어 수행평가는 진로에 맞는 책을 읽고 서평 쓰기였다. 글쓰기에는 5가지의 조건이 있었고, 그 외에는 자유롭게 작성이 가능했다.

 이때 나는 시드니 고든의 『닥터노먼베쑨』을 읽고 < 생명

줄을 놓지 않는 의사로서의 삶>이라는 제목의 서평을 썼다. 수행평가는 800자만 쓰면 되었는데 한글로는 총 3000자(공백 포함), 실제 수행평가 날 원고지 1장을 가득 채웠다. 다음 한국사 수행평가 역시 1장의 원고지만 채우면 되는데 내가 쓰고 싶은 이야기와 해야 되는 것들이 너무나도 많고, 그것이 나의 완벽의 기준이 되어 3장의 원고지를 채워냈다. 이외에 과학부에서 팀별 과제는 물론 각종 대회에서의 보고서와 PPT까지 완벽해야 성에 차는 성격을 지니고 있다.

또한 나는 계획적이다. 특히 정리정돈과 공부 속에서 엿 볼 수 있다. 정리정돈에서는 계획적이고 체계적이지만 이에 비해 그렇지 못한 정리. 하지만 어느 것이 어디에 있는지 모든 것을 알고 있어 누군가가 치우면 무엇이 어디 있는지 잘 모른다. 공부할 때는 플래너를 적기도 전에 무엇을 언제할 지 미리 머릿속에 정리되어 있다. 그래서 플래너를 작성하는 것은 계획을 조금 더 구체화하는 것 외에 머릿속에 있는 것을 받아쓰기하는 것 밖에 되지 않는다.

다음으로 나 개인에게는 엄격하고 단호하다. 공부를 하는 데에 스스로 갖는 핑계와 변명은 애초에 존재하지 않고, 해내야 하는 것은 책임감 있게 해야 하는 성격이다.

친구들이 발표 영상을 찍어서 기간 내로 내야 했던 영어 수행평가가 있었다. 여기서 반장의 역할은 그 영상들을 하나의 파일로 모아 담당 선생님께 보내는 거였다. 영상의 개수도 많았고, 일일이 다운로드하고, 파일로 옮기는 데에 시간이 꽤 오래 걸렸다. 수행평가를 제출하는 날은 온라인 수업을 하는 날이었는데 그날 온라인 수업들을 하나도 듣지 못할 정도였다. 그런 와중에도 나는 영상을 보내지 않은 친구들에게 전화까지 하며 최대한 많은 친구들이 수행평가를 챙길 수 있도록 도왔다. 마지막에 파일이 너무 커서 업로드가 잘 되지 않은 고비가 있었지만 그래도 위기를 잘 넘겨서 기간 내에 수행평가 영상을 제출했다.

 그러나 이러한 완벽주의와 엄격하고 단호하며 책임감이 강한 성격의 단점은 나 스스로의 감정을 잘 보살펴 주지 못한다는 것이다. 내가 왜 힘들어하고 있는지도 모르고, 무작정 앞만 보고 달리고 있었던 적도 많았다. 그리고 힘들고 지치면 또는 너무 서운하고 화가 나면 그 감정 그대로 인정하고 돌보아주면 되는데 이를 하지 못해 마음이 많이 다치기도 했다.

 이는 나에게 우울증과 공황장애가 찾아오는 하나의 원인이 된 것 같다는 생각이 든다. 내가 지금 왜 힘들어하고, 무기력해져 있는지, 불안을 느끼고 있고, 무언가에 두려움을 느끼고 있다는 사실을 빠르게 알아채지 못해 치유를 할 수 있는 시간이 흘러버렸다.

 또한 완벽이라는 것이 나의 어깨를 무겁게 만들어 조금의 여유를 가지지 못하는 것에 더해 매번 공부에 대한 부담감과 기대감에 못 이겨 우울과 공황 증상들이 심화되곤 했다.

 개인에게는 이처럼 감정을 잘 돌보지 못하는 것에 비해 상대에게는 감정을 이해하고 배려해주려 많이 노력한다. 아직도 낯을 많이 가려 타인의 감정을 다루는데 서투르긴 하지만. 나는 문자를 보낼 때면 쓰고, 지우고를 반복한다. 뭐라고 쓸 때 내 감정이 상대방에게 잘 전달될지 고민이 되기 때문이다. 그래서 그런지 인간관계에서는 여러 사람들이 바글바글한 것보다 소모임을 조금 더 선호한다. 깊고 묵직한 마음을 나눌 수 있는 소수의 단짝 친구들이 있는 것이 더 좋다. 그 외에 친구들과는 두루두루 잘 지낸다.

 나는 나의 성격에 대해 잘 알고 있다. 그렇기에 우울증과 공황장애의 많은 원인 중 하나를 찾아낼 수 있었고, 개인에게 취약한 점을 상대를 대할 때는 이를 보완하려고 노력한다.

'이처럼 모든 일의 시작은 '나'에 대해 알아가는 것부터라고 생각한다. 자신은 어떠한 사람이고, 가지고 있는 성격의 단점은 무엇이며 이를 보완할 방법에는 무엇이 있는지 탐색할 시간이 누구에게나 있어야 한다.'

2장
새싹이라는 이름으로

꿈의 시작

절대수감

나비의 자유로운 비행

—— 꿈의 시작

 꿈에 대해 한 걸음 더 나아가고자 진로정보 전문 사이트 '커리어넷'에 접속했다.

 커리어넷에 쓴 첫 글자는 '생명'. 생명과학과 관련된 여러 직업과 학과에 대한 정보가 궁금했다. 생명공학과 등 여러 직업들과 학과들을 둘러보며 어떤 직업이 무엇을 하는지 알아보았지만 썩 마음에 드는 직업은 없었다. 이 외에 여러 공학자, 공대 등의 글자를 쳐서 관심이 있을 만한 직업을 찾아보다가 결국 마지막에 친 글자는 '의사' 고등학생이 될 때까지 이를 향해 한없이 달려왔다. 당연히 의사라는 직업을 가져야 한다고…

 꼭 모든 과목에서 1등급을 맞아서 좋은 대학 좋은 학과에 가야 한다고 생각했다. 학과나 대학의 좋고 나쁨을 따지는 것이 아니다. 당연히 나에게 맞는 길로 가는 게 맞다. 그러나 나중에 깨달았다. '의사'라는 직업이 단순히 누군가에 의해 등이 떠밀려 꿈을 갖게 된 것이 아님을. 나는 나의 길을 잘 가고 있는 것이었다. 그러나 월급, 명예 등만을 따라가는 몇몇 사람들에 의해 뒤통수를 맞은 일이 있었다. 그중에서 '의사'라는 꿈을 가지고 잘 나아가고 있는 나에게 '내가 가는 길이 진짜 의사가 맞나'라는 방황을 하게 만든 일이었다.

중학교 3학년 과학고에 갈지 고민하고 있던 찰나였다. 실제로 과학고에 다니는 언니를 만나서 과학고가 어떤 시스템으로 운영이 되고 있는지 등을 물어보았다. 그러면서 자연스럽게 나의 희망 진로에 대한 이야기가 나왔는데 거기서 나는 공학자도 좋고, 의사가 되고 싶은 마음도 있다라고 말했다. 이에 온 답변은 황당했다. 남이 바라는 의사가 되려고 하지 말라고…….

대부분의 학생들이 한 번쯤 꿈꿔봤을 '의사'라는 직업. 그리고 한 번쯤 부모님으로부터 잔소리로 의사가 되라는 말을 들어보았을지도 모른다. 그러나 나에게 있어서 대부분의 부모님들이 희망하는 의사를 꿈꾸게 된 것은 한 책에 의해서였다. 단순히 남이 만들어 놓은 길 또는 많은 이들이 부러워하는 직업이었기 때문이 아니었다.

어렸을 적 우리 집에는 WHY라는 책이 없었다. 그런데 우연히 서점에 가서 응급처치라는 WHY 책을 사게 되었다. 그 이유는 아직도 의문이다. 그러나 일단 '응급처치'라는 제목을 보고 샀다는 것은 확실하다. 그러곤 집에 와서 응급처치라는 책을 펼쳤다. 그 순간 보이는 여러 의학 지식들. 대부분은 어린 나이에 이러한 의학 지식들을 보면 처음부터 겁을 먹거나 책을 덮어버리기 마련이지만 나는 달랐다. 꽤 흥미로워 보였고, 누가 이기나 싸움하듯 달려들어서 의학 지식들을 모두 흡수해버리고 싶은 심정으로 엄청 들 떠 있다. 하루에 몇 번이고 읽고, 또 읽고를 반복하다 보니 책은 너덜너덜해졌다. 딱딱했던 책 표지조차 뜯어져서 난리가 났다. 그럼에도 읽고 또 읽고를 반복했다.

 지금 돌아보았을 때 얼마나 좋았으면 그렇게 읽었을까라는 생각이 들 정도이다. 의학 지식에 대한 사랑은 지금 고등학생으로서 '의사'라는 꿈을 갖는 데에 첫 스타트가 아닌가, 라는 생각을 한다. 어릴 적부터 의학에 대한 소질을 보이지 않았는가라는 생각도 해 본다.

 그러다가 나에게 의사라는 꿈, 진로의 방향을 정확하게 의학 계열로 정하게 되는 두 번째 발판이 되어준 순간이 찾아왔다. 바로 국어 수행평가였다. 수행평가는 진로에 맞게 책을 읽고 서평을 쓰는 것이었다. 수행평가 이전에는 정확한 진로의 방향은 어느 정도 정해져 있긴 했지만 정확히 어떤 직업. 이렇게 정해 놓은 것은 아니었다.

 수행평가를 위해 책을 고르는데 보이는 책마다 '의사'라는 단어가 눈에 띄기 시작했고, 결국 시드니 고든의 '닥터노먼 베쑨'이라는 책을 읽게 되었다. 이는 의사라면 갖춰야 하는 자세, 의사란 무엇인지, 의사로서의 삶은 어떠한지에 대해 보여주는 책이었다. 큰 감동을 얻었다. 그리고 의사라는 직업에 빠졌다. 매력도 매력이었지만 진정성 있는 의사의 모습에 나의 미래를 상상하게 되었다.

나는 이렇게 가지게 된 여러 생각을 가지고 서평을 썼다. 정말 나의 미래와 관련된 만큼 진정성 있고, 솔직하게 적었기에 쓴 서평의 일부를 소개 하려 한다.

<서평 쓰기 수행평가>

생명줄을 놓지 않는 의사로서의 삶
- 시드니 고든의 『닥터노먼베쑨』을 읽고

'질병을 돌보되 사람을 돌보지 못하는 의사를 작은 의사, 사람을 돌보되 사회를 돌보지 못하는 의사를 보통 의사라 하며, 질병과 사람, 사회를 통일적으로 파악하여 그 모두를 고치는 의사를 큰 의사라 한다'

닥터 노먼 베쑨 책 가장 첫 번째 장에 쓰여 있었던 문장이다. 의사라면 갖춰야 하는 자세를 보여줘서 참된 의사란 무엇인지 고민하게 하여 인상 깊었다. 이 책이 의사로서의 삶에 대해 고민을 해결해 줄 수 있을 것 같았고, 의사가 되는데 바탕이 될 가치관을 배우는 데 도움이 될 것이라고 생각하여 이 책을 읽게 되었다.

1. 꿈에 대한 진정한 이유를 찾아서

노먼 베쑨은 초기에 돈에 집착하면서 의사의 길을 시작하였다. 돈을 잘 벌 수 있는 곳이라고 했던 캐나다의 한 지역으로 갔지만 예상과 달리 가난으로 치료를 받지 못하는 많은 사람들을 보면서 좌절했고, 생각의 변화가 생기기 시작했다.

p112
'그가 좌절했던 이유는 환멸스러운 현실을 조종하면서도 그 화려함과 부에 스스로 집착했기 때문이다.'

 이 문장을 읽으며 의사가 사람을 살리는 역할을 하는데 부와 명예를 추구하면서 가난이라는 질병으로 제대로 된 치료 하나 받지 못하고 죽어가는 것을 바라보는 것의 모순점을 느끼면서 의사를 부와 명예를 갖춘 직업으로 바라본 나 자신에 대해 부끄러움을 느꼈다. 또한 스스로에게 의사가 되고 싶은 진정한 이유는 무엇인지 질문을 던지게 되는 계기가 되었다. 사회적으로 의사라는 직업이 부와 명예를 갖춘 이미지로 자리 잡고 있으며, 이를 얻기 위해 너도나도 의사가 되려고 한다. 그러나 부와 명예만을 갖춘 의사는 세상에 없을 것이다. 의사라면 그 무언가가 필요할 것이고, 쉽지 않은 일인 만큼 이를 버틸 힘이 필요할 것이다. 좌절과 방황의 연속이었던 베쑨의 초창기 모습은 이러한 힘 그리고 나에게

감춰진 그것이 무엇인지 찾아 부와 명예가 아닌 사람의 생명을 따르는 그런 의사가 되고 싶다는 생각을 하게 하였다.

2. 생명의 칼 정의의 칼

p105

'의학의 의무는 그런 죽음을 방지할 방법을 찾는데 있다. 만일 현존의 기술이 실패하고 있다면 새로운 기술이 발견되어야 한다'

'수술에 임하는 의사라는 사람들이 자연과 세계 속에서 아무런 힌트나 해답을 떠올리지 못한다면, 그는 인명을 학살하는 일을 즉시 중지하고 도랑이나 청소하는 편이 나을 것이다'

 이 문장은 노먼 베쑨이 결핵의 걸려 의학 기술이 아닌 '휴식'이라는 치료를 하며 또 다른 의사들과 죽을 날을 기다리고 있을 때 닥터 존 알렉산더의 저서 <폐결핵 수술>에 나온 한 구절이다.

노먼 베쑨은 이를 통해 치료 방법이 있고, 기술이 있음에도 환자의 죽음이 두려워서 죽게 놔두고 있다는 모순을 깨닫게 된다. 처음에는 환자를 살릴 수 있다는 확신 없이 치료를 하는 것이 옳은 것인지, 그리고 만약 실제 이러한 상황 속에서 수술을 하게 되었을 때 나 역시 시도하기가 두려울 것이라는 생각이 들었다. 그러나 탐구를 계속하면서 또한 끊임없이 그것을 확대 시키고, 수술을 지켜보면서 기존의 방식들에 불만을 품고 더 나은 방도들을 모색해 나가는 닥터 노먼 베쑨의 모습을 보면서 생각에 변화가 생겼다. 여기서 나는 의사가 현 기술로만 하는 게 아니라 더 나아가 탐구와 연구의 자세로 발전해 나가야 함을 느꼈다. 또한 치료만이 아닌 소수의 사람들에게 라도 도움이 될 수 있는 약, 의약품 등을 연구하고 개발하는 역할까지 하는 그런 의사가 되고 싶다.

 이러한 계속된 연구를 통해 최고의 의사 자리까지 오른 닥터 노먼 베쑨은 스페인 민주주의 원호위원회로부터 마드리드에 의료대를 맡아주기를 요청 받았지만, 그는 깊은 고민에 빠지게 된다. 그에게 스페인으로 간다는 것은 몬트리올에서 이 모든 직함 그리고 흉부외과 의사로서의 약속된 앞날까지 다 포기해야 한다는 것을 의미하기 때문이다. 결국 그는 스페인에서의 희생 되어지는 사람들과 긴박한 상황임을 느끼고 스페인으로 향하게 된다. 경제적인 기반을 등 뒤로 놓고, 생명을 살리는 일로 전진하는 그의 모습은 나에게 의사로서 해야 되는 일과 바람직한 자세, 태도를 모두 보여주었다. 전선에서 수혈 활동, 말라가 도로에서의 피난민 행렬, 그 피난민들에 대한 폭격, 길가에서 쓰러져 가는 사람들, 알메리아에서의 대량 학살 등을 경험하면서도 끝까지 사람들의 생명줄을 놓지 않는 열정과 희생, 노력…이것이 의사의 진정한 존재의 목적임을 알 수 있었다.

이 책은 의사라는 꿈에 한 걸음 더 가까워질 수 있는 기반을 마련해주었다. 큰의사 노먼 베쑨은 의사로서 세균이든 사회체제이든 인간의 건강과 생명을 좀먹는 것이라면 그 대상을 가리지 않고, 온몸으로 맞섰다. 이러한 그의 의사로서의 삶은 나에게 의사가 되고 싶은 진정한 이유가 무엇인지 돌아보고, 의사로서 어떤 자세와 태도를 가지고 있어야 하는지 일깨워 주고 현재의 기술만 가지고 치료하는 것이 아니고 이를 발전시켜야 하는 것 또한 의사의 역할 임을 알려주었다. 그리고 닥터 노먼 베쑨이 만나게 된 여러 고난과 갈등을 해결하는 모습은 나에게 의사로서 삶의 바탕이 될 수 있는 여러 가치관에 대해 고민해 볼 수 있게 해주었다. 전쟁과 같은 극한의 상황 혹은 눈앞에 죽어가는 사람들이 있는 상황에서 의사로서 누구를 먼저 선택하여야 하느냐에 대해, 전염병으로 죽어가는 사람들을 살리기 위해서 실험해보고 시도해 본다는 것은 반드시 누군가 희생되어야 하는데, 누구를 대상으로 해야 하는지 희생되어야 하는 사람의 권리를 침해하는 것은 아닌지 그리고 시도해 보지 않으면 의학 기술이 발전하지 않을 것이기에 이에 대한 타협점에 대해 고민하는 시간을 가질 수 있었다.

자신의 직업에 투철한 사명감과 열정을 쏟고 있는 베쑨의 삶을 본받고 싶다. 또한 노먼 베쑨의 삶의 모습을 바라보면서 앞으로 실제 어떤 의사가 되어 있을지 기대가 된다. 앞으로 사회 문제에 관심을 가지며, 발전시키고 탐구할 수 있는 역량을 키우기 위해 노력해야겠다.

-서평. 생명줄을 놓지 않는 의사로서의 삶. 최다연-

서평을 쓰며 나에 대해 돌아보는 것은 물론 미래의 내가 의사라면 어떤 모습이고, 어떤 태도로 임해야 할지 충분히 고민하고, 진지하게 생각해보는 계기가 되었다. 진로를 정하게 된 나에게는 엄청난 선물과도 같은 기회가 되어 준 것이다.

지금은 '의사'라는 직업을 딱 정해놓은 것은 아니다. 하지만 의예과를 나오겠다는 나의 의지는 강하다. 의예과를 나와서 꼭 의사가 되지 않더라도 의료공공기관에 들어가서 공무원을 할 수도 있고, 보건소에 들어갈 수도 있고……
할 수 있는 일은 많다. 아직 '의사'라는 직업으로 나를 제한시키고 싶지 않다. 의예과를 나오되 그 이후의 미래는 열어놓고 싶다.

나는 의사 혹은 의예과라는 진로를 정하게 되는 여러 개의 발판이 있었지만 가장 도움이 되었던 것은

'진정한 나의 모습과 성향, 흥미 등을 어릴 적부터 지

금까지 돌아본 것이 가장 영향력이 큰 것 같다. 그리고 무엇보다 남이 원하는 꿈이 아닌 내 스스로가 원하는 꿈을 가지려 노력하고, 그 꿈을 찾아 나가는 것이 가장 멋진 인생의 길을 가는 것이 아닌가라는 생각이 든다. 그 멋진 인생은 누구나 지닐 수 있다. 나 이외에 것들에는 신경 쓰지 않고 오직 나의 모습과 내면, 과거 등을 바라보며 진정한 '나'의 모습과 인생의 길을 찾아 나서길 바란다.'

—— 절대수감

'앞차 번호가 8241. 숫자 1부터 15까지 만들 수 있겠구나'

 각 숫자를 더하거나 나누거나 빼거나 곱해서 만들 수 있는 숫자를 구하는 것이다. 매번 신호등이 빨간불일 때 앞차 번호판을 자연스럽게 보게 된다. 그러면 1은 어떻게 만들고, 숫자 몇까지 만들 수 있는지 고민하고 또 고민한다. 때론 정말 단번에 알아낼 때도 있다.

 언제부터인지는 모르겠지만 어릴 때부터 해 온 버릇인 것 같다. 차 번호판만 보면 아무 생각 없이 계산을 하는 나의 모습을 발견한다. 차 번호판 뿐만 아니라 또 수학적인 계산을 하는 것이 있다. 바로 버스의 번호이다. 버스 정류장에 홀로 앉아있을 때 또는 차 안에 있을 때 버스가 지나가면 버스의 번호를 보게 된다.

 스쳐 지나가는 버스의 번호를 보면 그 숫자는 내 뇌에 박힌다. 그러곤 버스의 번호를 하나씩 떠올리며 소수인지 아닌지 온갖 수로 나누어 보면서 약수를 구해본다. '341번은 31의 약수이고 11로도 나누어지니 소수가 아니구나'라고.

이런 내 모습을 보는 스스로도 참 신기하다. 지금은 수학을 정말 사랑하고, 가장 좋아하는 과목이지만 어릴 적에는 수학이라는 과목의 '수'자도 모르고, 무작정 배워왔던 것이었는데도 말이다. 지금 생각해보면 음악에 절대 음감이 있듯이 수학에도 절대수감이라는 것이 있는 건가라는 재미있는 생각이 든다. 그렇다면 내가 숫자를 처음 보았을 때 단순한 숫자의 수로 보는 것이 아니라 이에 대해 분석하고, 수를 가지고 놀 수 있고, 단번에 숫자의 약수와 빠른 계산을 할 수 있는 절대수감을 가지고 있는 것이 아닐까 한 번 생각해본다.

이렇게 어릴 적부터 나의 공부의 시작은 삶에서 배우는 수학이었다. 삶의 대부분을 차지했던 것은 소꿉놀이도, 장난감도 아닌 수학이었다. 어릴 적 처음 배웠던 것도 수학이었고, 재미를 가진 첫 번째 과목도 수학이었다. 이는 커서도 이어졌다.

KMC 수학 인증 시험을 준비한 적이 있다. 대수, 조합, 기하 등 다양한 분야의 수학이었다. 그때는 서울대 수학과를 나온 선생님께서 가르쳐주셨는데, 어릴 때 이후 처음으로 수학에 대해 진정한 재미를 얻게 되었다. 어떻게 이렇게 이 문제를 풀어낼 수 있을까?

이 문제를 이렇게 생각할 수도 있구나! 나는 그 문제의 색채를 모두 내 머릿속에 끌어드린 느낌이 들었다. 참 흥미로웠다. 그러면서도 수학의 끝은 무엇인지 모르겠다. 마치 수레바퀴를 걸으며 어디가 끝인지 바보같이 계속해서 돌고 있는 것 같다.

그 정도로 수학은 나의 삶의 일부라고 해도 과언이 아닌 것 같다. 지금도 그렇다. 숙제해야 하는 것들이 널부러져 있을 때 가장 먼저 손에 잡히는 것도 수학이고, 잠자기 전 마지막으로 하는 숙제도 수학이다. 한때 수학 알바도 했었다. 알바를 하면서도 어린 친구들이 배우는 수학을 보면서 과거에 내가 배웠던 수학 개념들을 다시금 떠올려보곤 한다.

또 오랫동안 수학을 배워오면서 터득한 노하우를 가지고 학생들을 가르쳐 보기도 했다. 수학이라면 항상 이렇게 열정적으로 달려들곤 한다.

—— 나비의 자유로운 비행

나비가 이곳저곳의 꽃향기를 맡으며 자유롭게 날아다닌다. 유유히 그리고 아름답게. 색채가 섞이며 흐릿한 날갯짓에 시원한 바람의 소리가 들린다.

꽃과 그 주위에 있는 잎사귀들이 사르르 흔들린다. 아름다운 단내와 시원한 향기들이 풍겨온다.

이렇게 자유분방하고, 저 넓은 하늘을 날아다니는 나비. 어릴 때부터 초등학생 때까지 나의 모습과 많이 닮았다.

원하는 것이면 무엇이든지 했던 나의 모습. 단 '나'라는 정해진 울타리 안에서. 아득히 먼 옛날의 일인데도 그때 그 시절의 감성을 타고 떠올려 본다. 자유분방하게 원하는 것을 하며 즐겼던 생활들이 선명하다.

초등학교 6학년은 뭣도 모르고, 원하는 것을 하며 뛰어놀 수 있는 나이이다. 체육과 활발한 움직임을 좋아했던 나는 남자아이들과 어울리며 그때 그 시절 가장 먼저 눈에 들어온 것은 축구였다.

공을 뻥뻥 차면 무언가 가슴을 꽁꽁 싸매고 있던 것들이 풀리는 느낌. 마음속의 짐을 어디엔가 내려놓은 것만 같은 기분. 그 기분은 여전히 잊을 수 없다. 매 점심시간 남자 친구들과 축구를 했다. 하지만 어릴 때 부터 매일 시간이 될 때마다 축구를 해왔던 남자 친구들에 비해 실력은 이로 말할 수도 없었다. 그저 공을 차고 있는 친구들을 바라볼 뿐. 그만큼 공을 만질 수 있는 기회는 물론 스트레스가 풀리는 축구의 매력도 놓칠 수밖에 없었다.

고민을 했다. 내가 공을 차며 신나게 뛰어다닐 수 있을까? 있다면 그 기회는 어떻게 만들어낼 수 있을까? 스스로 했던 고민에 대한 답변을 하기는 어려웠다.

그러나 얼마 안 있어서 나의 고민에 대한 해결책이 눈앞에 들어왔다. 처음으로 여자 축구부 동아리가 생긴 것이었다. 드디어 기다리고 또 기다렸던 기회가 온 것이다. 나의 실력을 마음껏 펼치며 공을 찰 기회. 처음 동아리 수업 시간이 다가오기를 기다렸다.

그러고 온 첫 여자 축구부 시간. 처음에는 반반으로 인원을 나누어 연습 경기를 통해 우리들의 실력을 보기로 했다. 축구를 잘하고 싶은 욕심과 열망으로 가득했던 나는 열심히

뛰었다.

골도 많이 넣었고, 그만큼 운동량도 많았다. 이 연습 경기 이후로 나는 스트라이커로서의 재능을 보였다. 그러나 연습 경기는 연습경기였을 뿐이었는가. 그 이후로 있었던 경기마다 스트라이커로서 골을 넣는 결정력 등이 떨어졌고, 자신감도 많이 잃었다. 점점 경기가 지속될수록 실수도 많아졌고, 오히려 공격수보다는 수비수를 해야 하나라는 생각까지 들었었다. 풀 죽은 듯, 축구에 대한 재미와 열망은 더 이상 찾아볼 수 없었다. 그래도 축구를 하고 싶어 했던 과거의 나를 떠올리며 버텨왔다.

그렇게 온갖 경기와 훈련을 해오며 다가온 축구 도대회 날. 주전으로는 뛸 수 있을까, 공격수의 자리를 얻을 수 있을까 온갖 걱정으로 대회 전용 운동장에 도착했다. 그래도 다행히 측면 미드필더로서의 자리를 얻을 수 있었다. 이 자리도 두 번 바뀐 것이다.

원래는 스트라이커 다음으로 하고 싶었던 중앙 미드필더로서의 자리를 얻었는데, 우리 팀 주장의 반대로 측면 미드필더로 밀려났다. 축구에 대한 나의 열망과 실력을 무시당한 것 같아 무척 서운했다. 그러나 지금 돌아보면 그 친구도 나도 중앙 미드필더와 측면 미드필더에 대한 잘못된 인식과 무지 때문이었던 것 같다는 생각이 든다. 그래도 서운한 마음을 뒤로 한 채 측면 미드필더의 책임감을 가지고 경기에 임했다.

도 대회는 리그전으로 총 4번의 경기를 했다. 마지막 한 경기에서 공격수였던 친구가 골을 넣으며 축구부의 첫 골을 장식해주었지만 결과는 4경기 모두 패배.

 그래도 누구보다도 즐거웠다. 필드를 마음껏 뛰어다니며 나의 열망과 열정을 쏟아부을 수 있었고, 소원을 성취했으며 무엇보다 승패와 상관없이 초등학교 6학년을 하나의 추억으로 남길 수 있다는 것에 감사했다.

 운동이라는 분야에서 최선을 다한 나는 또 다른 장르에도 도전을 했다. 아름다운 소리의 화합으로 힘차고 때론 작고 소중한 소리를 내는 음악이었다. 초등학교 4학년 때 뭣도 모르고 오보에라는 악기를 배우게 되었다. 클라리넷, 플루트 등은 잘 알고 있었지만 오보에 라는 악기를 처음 받았을 때는 생소했다. 그러니 더 관심을 갖게 되었고, 더 자세히 파고들 수 있었던 것 같다.
 처음 연습에는 리드라는 것을 부는 것부터 시작했다. 리드는 목관악기 중 리코더와 플루트를 제외한 클라리넷, 오보에, 바순, 색소폰 등의 악기의 주둥이 부분에 끼워 떨림으로 소리를 나게 만든 얇은 갈대 조각을 뜻한다. 오보에 리드는 길쭉하고 매우 얇고 약하다. 조금만 리드를 스쳐도 리드의 끝이 손상이 간다. 오보에는 입술 양옆의 근육을 이용해서 부르는 악기이기 때문에 처음 리드를 불 때 소리조차 나지 않았다.

5년간 연주해왔던 악기와 악보

5년간 함께한, 소중한 오보에

아직은 입술 모양도 어색하고, 입술 양옆의 근육에 힘이 없었기 때문이었다. 연습을 1시간 했을 때부터는 조금씩 소리가 나기 시작했다. 꾀꼬리 같은 소리가 나기도 하고, 리드가 떨리는 소리가 나기도 했다. 그렇게 리드에 대한 연습이 되고 나서부터는 오보에 리드를 꽂아서 소리를 내기 시작했다.

오보에의 첫소리는 놀라웠다. 도넛 모양의 비눗방울 사이로 묵직하면서도 오묘한 소리가 힘차게 지나가는 것 같았다. 정말 아름다웠다.

이렇게 2년간의 연습을 통해 다져진 소리를 가지고 오보에를 같이 배워왔던 친구와 함께 오케스트라에 들어가게 되었다. 이것 또한 나의 선택에 의한 것이었다. 한때 k-POP 노래만 듣고 있던 나에게 우연히 오케스트라 음악을 듣게 된 계기가 있었다.

오케스트라의 연주 중에 들리는 오보에 소리에 나도 한번 저런 소리를 내고, 오케스트라의 단원으로서 한몫을 하고 싶은 마음이 들었다. 그렇게 오케스트라의 단원이 되었다. 악보 보는 방법도, 다른 악기와 합을 맞춰본 적도 없었기에 우왕좌왕했지만 시간이 지나면서 익숙해졌다. 오히려 더 즐길 수 있게 되었다. 악기를 연주할 때면 여러 음표들이 무지개 위를 뛰어다니는 느낌이 들었다. 음악 속에 푹 빠졌다.

이렇게 연주를 하던 나에게 나의 음악을 무대에서 연주할 기회가 찾아왔다. 바로 학교 공연과 오케스트라 대회에 나갈 수 있게 된 것이다.

대회와 공연에서는 모두 검은색 옷을 입었다. 마치 음표처럼. 각자 하나의 악기를 맡고 있지만 마치 하나의 음악 속 작은 음표들을 맡고 있는 것 같았다. 음악을 하면서 오보에라는 악기 연주를 하나의 업으로 삼고 일하는 사람인 것 마냥 즐거웠다. 그리고 음악이라는 분야를 즐기고 있는 나의 모습을 발견할 수 있었다.

열정적이면서도 욕심도 있었던 나는 나만의 음악을 만들어 가고 있었다. '나'라는 울타리 속에는 음악이라는 하나의 무리가 만들어졌다.

'나'라는 울타리 속에는 또 다른 무리가 존재했다. 열망과 열정으로 가득한 나의 욕심은 끝도 없었다. 바로 상에 대한 욕심이었다. 그렇게 시작하게 된 것은 과학 대회들이었다. 비록 욕심이라는 이름으로 대회에 참가하게 되었지만 그 속에는 과학이라는 분야에 대한 호기심과 궁금증이 차지하고 있었다.

처음으로 나가게 된 것은 자연관찰탐구대회였다. 자연관찰탐구대회는 두 명이서 한 팀을 이루어 나가는 대회였다. 두 명이 한팀이라는 말에 조금은 안심이 되었고, 인생에서 처음으로 나가는 외부 대회에 어색함과 걱정을 조금은 덮어놓을 수 있었다. 한 명의 팀원을 정해야 했는데, 과학에 관심을 가지고, 여러 호기심으로 신기한 사건을 치고 있었던 남자친구들 중에 한 명과 팀을 이루었다.

 우리는 일단 자연관찰탐구대회에 내보낼 학교 대표 팀을 선발하기 위한 학교 내의 대회의 관문을 통과해야 했다. 아마 그 결과는 모두가 알 것이다. 이미 자연관찰대회에 나가게 되었다고 했기 때문이다.

 처음 맞췄던 합이었는데도 우리는 최선을 다했고 그 결과로 학교 대표로 뽑히게 되었다. 그리고 나서부터는 매일 학교에 남아서 여러 주제를 가지고 여러 개의 보고서라는 결과를 내야 했다.

 중학생, 고등학생 때 정말 많은 날을 학교에서 보냈지만 이렇게 학교에 남는 것은 이때부터 시작이었다. 그러나 이는 너무나도 흥미로웠다. 아무도 없는 교실과 운동장에서 단둘이서 과학 탐구를 하는 것은 마치 아무도 없는 놀이터에서 마음껏 뛰어노는 것과 같이 자유로웠다. 우리는 선생님들께서 체육대회를 준비할 때에도, 운동장에서 아이들이 축구를 하고 있을 때에도 남아서 대회에 나가기 위한 연습을 계속했다.

 그리고 나서 대회 날을 마주하게 되었는데, 받은 주제는 생각보다 어려웠다. 무엇을 탐구하고, 어떤 것을 측정해야 하는지 막막했다.

그렇게 우왕좌왕하며 정해진 대회 시간을 다 보내게 되었고, 둘 다 만족스럽지 못한 보고서를 아쉬운 대로 내야 했다. 분명 상을 받기란 어려울 거란 생각이 들었다. 그래도 결과는 많은 상 중에 장려상이었다. 나름 제출한 보고서보다 높은 상이었던 것 같다.

그래도 여기서 포기하지 않았다.

'노력을 통해서 성과를 만들어냈고, 비록 그 성과가 높지 않다고 아쉬웠다고 여기서 끝은 아니었다.'

또 다른 대회들이 나를 기다렸다. 초등학교 6학년 때 또 다른 과학 대회인 과학 토론 대회에 나가게 되었다. 이 역시 학교 내에서의 대회부터 시작하였다. 이때도 2인 1조로 친한 남자친구와 함께 팀을 하게 되었다. 학교 내 대표 선발전은 꽤나 수월하게 마칠 수 있었고, 이 역시 학교 대표로 뽑혔다. 그렇게 자연관찰탐구 대회와 같이 오랜 기간의 연습을 하였다.

학교에서만 준비했던 자연관찰탐구대회와는 달리 따로 둘과 각자의 아빠들과 함께 한 공간에 모여서 모의토론을 해보기도 하였고, 보고서를 작성하는 연습도 했다. 지금 돌아보면 정말 대회에 진심이었다.

그렇게 온갖 노력들 끝에 도 대회를 마주하게 되었다. 예선이 있었고, 또 각 조에서 예선을 통과한 한 팀들만 모여서 하는 결승이 있었다. 우리는 가볍게 예선을 통과하게 되었고, 결승까지 가게 되었다.

결승에 가서는 잘 맞았던 팀워크가 깨지기 시작했다. 옆 팀원은 내가 반박할 기회를 빼앗아갔고, 말도 안되는 논리로 다른 팀의 논리를 반박하는 모습에 화가 나기도 하며, 대회 시간 동안 티격태격하게 되었다.

그 결과는 당연히 예선을 통과한 4팀 중 3등이었다. 물론 보고서 발표를 할 때 보고서가 잘 보이지 않는 등 여러 예기치 못한 일들이 많았지만 이러한 것들을 탓하고 싶진 않다. 우리가 얻게 된 결과는 우리 팀에 고유의 문제였다. 이것으로 팀의 합이 대회의 성과에 아주 큰 영향을 미친다는 것을 깨닫게 되었다. 그래도 대회를 준비하는 동안 토론 방법, 보고서 작성법, 논리를 펼치는 방법 등을 배울 수 있었던 소중한 시간들이었다. 이러한 것들은 중학교, 고등학교에 가서 많은 과학 대회와 활동들을 하는데 밑거름이 되어주었다.

각종 과학 대회와 활동 논문집

이처럼 나는 하늘처럼 높고 넓은 평지를 가로지르며 뛰어다니는 동물들과 한쪽으로 길게 뻗어있는 도로를 쌩쌩 달리는 자동차처럼 운동, 음악, 과학 분야를 날아다녔다. 그리고 이는 모두 나에 의한 선택이었다. 선택에 대한 후회 하나 없이 나의 재능을 마음껏 펼치면서도 스포츠맨십, 화합, 과학 지식 등을 배울 수 있었다. 일반 학교 수업만 듣는다면 배울 수 없는 또 다른 나만의 소중한 과목들이었다.

|

3장
네게 한 줄기 잎이 떨어지고

빨간불

정해진 숲길

공부, 그것이 뭐라고

고군분투

|

—— 빨간불

　신호등이 빨간불로 바뀌면 모든 차는 멈춘다. 나의 삶에도 빨간불과 같은 순간들이 여럿 있었다.

　초등학교를 졸업하고 중학교에 들어간 순간.

　중학교부터 입시의 시작이라는 나의 인식 때문이었다. 중학교에서 생기부, 성적 등을 잘 받아놓아야 한다고 생각했다. 물론 제주도에서 인문계 고등학교를 가기 위해서 당연한 말일 수 있다. 그러나 나는 생기부도 완벽하게 잘 받아야 할 뿐더러 성적도 항상 최상위권이여야 한다는 강박 안에 갇혀 살았다는 것이 문제였다.
　이 때문에 초등학생까지 잘 달리던 차가 빨간불에 의해 멈춰서게 된 것이다. 초등학생까지 즐겁게 공부와 상관없이 해왔던 축구, 컴퓨터, 취미 생활 등을 못하게 되었다. 아니,

하지 않은 것이다. 오직 공부만 해야 한다, 선행을 빨리 빼야 한다는 철조망에 갇혀 그 철조망에서 나가려고 하지 않고, 그저 받아들인 것이다. 지금 돌아보았을 때 정말 멍청한 짓이었던 것 같다.

고등학교는 취업, 미래와 바로 관련되기 때문에 공부에 몰두해서 생기부와 각종 활동, 수행평가 등을 잘 챙겨야 하는 것은 맞지만 중학교는 그렇지 않다. 공부도 어느 정도 했던 나는 충분히 인문계 고등학교에 들어갈 만한 실력은 되었고, 공부에만 열중하기에는 아까운 나이이기도 했다. 그러나 나는 중학교에 대한 잘못된 인식이랄까, 틀어진 생각 때문에 나의 삶 중에 값진 경험이 될 만한 기회를 놓치고 말았다.

7명이 중학생이 되기 전 겨울방학에 한국창의인재육성협회가 주최한 2018세계창의력올림피아드(OM) 대한민국 국가대표 선발대회에 나갔다.

오랜 시간의 준비 기간이 있었다. 우리는 두 가지의 과제를 해야 했다. 연극을 통해서 우리가 전달하고자 하는 이야기를 표현해야 했고, 바벨이 몇 kg이 올라가도 부러지지 않을 만한 나무젓가락 몇 개로 된 구조물을 만들어야 했다. 거기서 나는 리더를 맡았다. 연극 준비를 하면서 많은 우여곡절이 있었지만, 오랜 세월을 함께해온 친구들이었기에 잘 해냈다.

세계창의력올림피아드 대회 당일 우리는 심사위원들로부터 엄청난 칭찬과 극찬을 받았고, 걱정했던 바벨도 나무젓가락으로 만든 구조물 위에 예상보다 안정적으로 많이 올라갔다. 결과는 금상으로 국가대표 출전권을 따냈다. 우리에게는 꿈과 같은 기회였다. 누가 인생 중에서 운동선수가 아니고서야 국가대표 출전권을 얻을 수 있겠느냐. 7명과 우리의 부모님들 너나 할 것 없이 기쁨을 누렸고, 무엇보다도 엄청난 비용과 노력 끝에 얻은 높은 상이었기에 뿌듯해했다.

 하지만 기쁨은 잠시, 곧 후회로 바뀌었다. 우리는 해외로 나가서 대한민국의 국가대표로서 또다시 우리의 무대를 펼칠 수 있었다. 그러나 7명 모두 중학교의 성적과 남들로부터 기대감을 받고 싶은 마음이 대한민국을 대표로 해서 나가는 기회보다 우선시 되었다.

 결국 우리의 해외 대회 참가는 이러한 이유로 무산되었다. 지금 돌아보아도 정말 좋은 기회였고, 값지고 소중한 순간들이 되었을 텐데 많은 아쉬움이 든다. 그리고 중학교 성적을 조금 받지 못하더라도 충분히 인문계 고등학교에 갈 만큼의 실력은 됐었는데 그때 왜 그런 생각을 했을까 하는 극심한 후회가 든다.

 이렇게 나는 중학교가 주는 강박에 갇혀 좋은 기회들을 놓치기 시작했다. 놓친 것에는 인간관계도 포함되어 있다. 공부만 하느라고, 점심시간, 쉬는 시간에 친구들과 친해지고,

함께 어울려 다닐 기회를 많이 놓친 것 같다. 물론 나와 같이 공부가 중요하다고 생각해 공부를 많이 하는 친구들이 있었기에 그런 친구들과 친하게 지내고, 그런 친구들로 많이 어울려 다녔지만 반에서 세력이 강하거나 활발하고, 좋은 에너지를 줄 수 있는 그런 친구들과는 친해지기 어려웠다. 물론 나의 친구들이 활발하지 않고 항상 조용하며 좋은 에너지를 주지 않는다고 하는 것은 아니다. 그들도 그들만의 에너지가 있었고, 선의의 경쟁자로서 많은 것을 주고 받았다.

그래도 더 넓은 교우관계를 이룰 수 있었는데 그러지 못한 것에 대해 아직도 많이 후회가 든다.

창의력 올림피아드도, 인간관계도 모두 후회라는 결과를 낳았다. 이것은 모두 공부라는 한 단어 안에서 빠져나오지 못한 결과이다. 초등학교에서 중학교는 완전히 다른 학교이고, 수업 분위기도 다르지만 환경이 달라졌다고, 즐겁게 해온 취미생활들을 놓칠 필요는 없었던 것 같다.

—— 정해진 숲길

 우리는 어디로 가는가. 땅 밑과 신발과 닿아 있는 바닥을 보았을 때 대부분 시멘트 바닥이다.
 누군가 작업하여 발라놓은 시멘트. 우리는 사람들이 만들어 놓은 길을 따라 운전하기도 하고, 안내된 길로 등산을 하기도 하고, 잔디밭 위에 돌로 만들어진 길 위로 지나갈 때도 있다.

 여기서 우리는 우리의 인생을 이렇게 단순하게 살아가고 있지는 않은지 돌아볼 필요가 있는 것 같다. 한때 나는 주위 또는 사회 분위기상 가야만 할 것 같은, 해야만 할 것 같은 직업만 바라보았을 때가 있었다. 그 직업은 다양했지만 내가 굳건하게 생각하고 있었던 직업은 의사였다.
 사회의 시선과 평가, 주위의 기대감이라는 파도에 휩쓸려서 내가 꿈꿔오고 있는 길이 아닌 다른 길로 밀려나 있었던 것이다. 주위의 사람들 또는 이미 의사라는 직업을 가지고 있는 사람들이 만들어 놓은 길을 그저 따라가려고 하고 있었던 것이다.

의사라는 직업을 가지기 위해서는 의예과를 나와야 하고, 이를 위해서는 성적은 물론 바짝 뒤따라주어야 했다. 그래서 어릴 적부터 아무런 생각 없이 성실하고, 열정적으로 국어, 수학, 영어 등을 공부했다.

그 어떤 슬럼프 없이. 그냥 앞만 보고 달려왔던 것이었다. 모든 것이 물 흐르듯 순조롭게 의사라는 길로 잘 따라가는 것 같았다.

　그러나 순조롭게 잘 가던 나는 갑자기 멈춰서게 되었다. 정말 대학에 가기 위해 입시에 뛰어드는 고등학생이 되고 나서 원하는 대학에 맞게 생기부를 챙겨야 하는 상황이 찾아왔다.

　생기부에는 수업 내용, 수행평가, 평소 태도와 능력 등이 들어가기에 활동마다 고민이 되었다. 어떤 내용을 적어야 하지, 어떤 진로에 맞춰서 써야 하지. 스스로 진로에 대한 깊은 고민과 함께 내가 가고 있는 길이 정말 나의 미래를 위한 진정한 길이 맞는지 의문에 대한 답을 찾아보려 애썼다.

　커리어넷이라는 사이트에 여러 직업을 탐색해보기도 하고, 각 과를 나오기 위해서 고등학교에서 어떤 과목을 공부해야 하는지 찾아보기도 하였다.

　그렇게 오랜 고민과 의문 끝에 나의 진로에 대한 결정을 내릴 수 있었다. 완전히 확고하지는 않았다. 단지 진로의 방향을 정했다고 할 수 있다.

어릴 적부터 관심을 보였던 분야는 의학이었고, 많이 읽어 본 책도 역시 응급처치와 같은 의학 관련 책이었다. 물론 어릴 때에는 주변 사람들의 영향으로 의사라는 길로 가야 한다는 것이 당연시되었지만, 나에게는 정말 꿈꿔오고 있는 길이 맞는 것 같았다. '의사'라는 직업이 꽤 매력적이었다. 하지만 여기서 고민한 건 꼭 한 가지 직업만 갖지 말고 조금만 더 범위를 넓혀 보자는 생각을 하게 되었다.

의예과를 나오면 단순히 의사라는 직업만 가지게 되는 게 아니라 연구를 할 수도 있고, 대학교 교수가 될 수도 있고, 의료공공기관에 들어갈 수도 있다. 그래서 단순히 의사가 아닌 의예과라는 학과에 들어가는 게 앞으로 내가 나아가야 할 방향임을 알게 되었다.

'이처럼 사람들이 많이 다니는 길, 다른 사람들이 만들어 놓은 길로만 따라가려는 사람들이 정말로 많다. 그럴 때는 가슴에 손을 올려놓고, 나의 깊은 내면에서 진정으로 원하는 진로는 무엇인지, 혹은 어떤 방향으로 나아가길 원하는지 고민해 보는 시간을 가져보면 좋을 것 같다. 정해진 숲길만이 옳은 길은 아니니깐.'

—— 공부, 그것이 뭐라고

 공부란 무엇일까. 공부는 어학적으로 '학문이나 기술을 배우고 익힘'이다. 그렇지만 여기서 의문이 든다. 과연 나는 공부에 대해서 어학적인 의미로 생각하고 있는지, 배움을 목표로 하고 있는지. 되돌아보면 그렇지 못하는 것 같다.

 공부를 통해서 눈앞에 나타나는 공부의 성과는 오직 성적이다. 시험을 치르고 난 후 나오는 객관적이라고 할 수 있는 점수 말이다. 그러다 보니 공부를 무언가 배우고 익히기 위함이 아닌 점수를 잘 받는 것으로 변한 것 같다. 또한 점수에 따라서 주위로부터 받는 기대감이 다르니, 욕심도 생기기도 한다.

 때론 높은 기대감에 부응하고자 공부를 할 때도 있다. 그러다 보니 공부는 나에게 온갖 스트레스와 부담감으로 온다. 계획에 어긋나거나 공부에 손을 놓고 있으면 몰려오는 불안감, 틀린 문제들에 대한 집착 등이 나타난다.

2019년도였다. 중2였는데 그때는 대회에 대한 열정이 대단했다. 학교 내에 대회는 물론 외부에서 하는 대회에서도 상을 타고 싶고, 주목을 받고 싶은 마음에 온갖 대회를 나갈 때였다. 한 친구가 과학실로 와서 물었다. 중학교 3학년 때까지 나는 과학동아리 활동을 했기에 과학실에 있었다. 친구는 우리에게 "이 대회 나가지 않을래?"라고 물어보았다. 바로 삼성 주니어 소프트웨어 대회였다. 앞으로 펼쳐질 고생의 길을 모른채 나가겠다고 냉큼 말했다. 그렇게 3명이 한 팀을 이루어 대회 준비를 하게 되었다.

우리는 공장별로 개별적인 안전 대비 시스템이 필요하지만, 중소기업은 센서, 사이렌 등 기초적인 안전 설비를 제대로 갖추고 있지 않아 일어나는 기계 끼임 사고 등 공장에서 일어나는 여러 사망 사고를 줄이기 위한 해결책을 내세워 이를 소프트웨어로 구현하기로 했다. 매일, 매주 학교에 늦게까지 남아서 소프트웨어를 짜고, 앱을 만들었다. 그리고 방학에는 부트캠프에 참여하고, 멘토님들을 만나며 SW구현을 하는데 도움을 받기도 하였다.

 문제는 1차, 2차 예선, 본선, 부트캠프 단계까지 잘 오다가 최종 결선에서 최종 소프트웨어를 제출해야 했는데 시험과 일정이 겹친 것이다.

 우리는 모두 멘붕이 왔다. 시험 공부할 시간은 전혀 없었다. 그래서 줌을 켜서 먼저 오후에 대회 준비를 하고, 대회 준비가 끝난 새벽에 시험 공부를 하는 등 어떻게든 이 악물고 공부를 했다. 그러나 좀처럼 공부는 쉽지 않았다.

대회 준비에 우여곡절들도 있었고, 시험 범위도 만만치 않았다. 그러다 보니 멘탈은 무너졌고, 우리 모두 성적이 꽤 나와 주변 친구들과 선생님들로부터 주목을 받고, 기대감이 높은 만큼 부담감은 커져만 갔다.

 결국, 우리는 모두 시험 어떡하지라고 걱정을 하며 같이 울음을 터뜨린 적도 있었다. 조금 시험을 망치더라도 큰 타격이 없을 만도 했는데, 공부가 주는 스트레스와 부담감, 기대감으로 끝까지 공부에 집착한 것이었다. 다행히 셋 다 좋은 성적으로 무사히 중간고사를 마쳤지만 지금 생각해도 참 전쟁과도 같은 대회와 시험 간에 싸움이었다.

한 번은 정말 당황스러운 일을 겪은 적이 있었다. 바로 중학교 1학년 첫 중간고사. 사회 시험 문제였다. 정확한 문제는 기억이 안 나지만 서술형 문제에서 '얼었던'이라는 단어를 쓰지 않아 감점을 당한 것으로 기억난다. '얼었던 땅이 녹아'가 아닌 '땅이 녹아'라고 쓴 거였다. 생각했다. 땅이 녹는다는 것은 당연히 땅이 얼었으니까 그렇지 않나. 그러나 선생님은 책에 나온 그대로 써야 맞다고 대답하셨다. 사실 둘 다 맞다고 해야 하는 것이 맞는 일이다. 그러나 나는 1점 감점이 너무나도 자존심이 상하기도 했고, 틀린 문제에 대한 집착으로 계속해서 맞다고 어필하고 또 어필했다. 결국 실패했지만… 이 또한 시험 성적이 완벽해야 하고, 100점이기를 바라는 점수에 대한 집착과 부담감으로 인한 일이었다.

또 한 가지. 정말 싫어하는 과목이 있다. 바로 암기할 것이 가장 많은 한국사이다. 배울 때는 재미있지만 막상 배우고 나서는 외워야 하는 것이 산더미인 과목. 나에게 암기가 문제는 아니었다.

한국사가 어떤 흐름이 있고, 서로 엮이고 엮이는 관계들을 알아야 하는 것을 싫어했다. 특히 세계사 파트는 더더욱이었다. 나라와 시대 흐름이 잘 연결이 되지 않았다. 그래서인지 한국사 시험을 볼 때면 한국사 책을 통째로 암기해 버렸다. 외울 필요 없이 이해만 해도 되는 것도 암기하려고 달려들었다. 쓸 데 없는 것들까지 모두 다. 그러다 보니 점점 한국사는 싫어질 수밖에 없다. 물론 이러한 것들이 한국사를 공부하는 방법을 잘 몰라서 그런 것일 수도 있지만 점점 한국사는 나에게 스트레스로 쌓이기 시작했다. 그저 즐겁게 흐름을 이해하고, 암기할 것들만 암기하면 끝날 것을 더 어렵게 공부하고 있는 나였을 뿐이었다. 배움이라는 것을 목표로 한다면 전혀 스트레스 받을 필요 없을 것을 머리까지 쥐어뜯으며 공부했던 것 같다.

정말 공부, 그것이 뭐라고 중학생 때부터 고등학생까지 이렇게 집착을 했는지 모르겠다.

공부를 정말 미래에 내가 꿈꿔오고 있는 길, 직업을 갖기 위한 기초 지식으로 생각하며 배움을 목표로 하면 되었을 텐데 말이다. 정말 어리석었던 것 같다.

── 고군분투

2020년, 나는 누군가로부터 2시간 동안의 폭언과 협박, 그리고 매일 찾아오는 등의 사건을 겪은 다음부터 호흡이 잘되지 않고, 불안감을 느끼기 시작했다. 그러다가 2021년 고등학교에 입학하고 나서 통합사회 수업 시간. 선생님께서 말씀해주신 썰에 의해서 잊고 있던 사건을 다시 떠오를 수밖에 없었다.

이때부터 공황장애가 시작되었다. 처음 공황장애의 증상을 느낀 것은 처음 사건을 겪은 다음 날이긴 했다. 하지만 공황장애인지조차 모를 정도의 작은 불안감과 과호흡이었다. 그래서 약 7개월을 그냥 흘려버린 것이다. 정말 심각한 상황까지 가지 않아도 되는데 말이다.

아무튼 사건을 겪고 7개월 뒤부터 극심한 불안감, 과호흡 등이 왔다. 오랜 시간 겪다 보니 우울증도 왔고, 공황장애와 우울증으로 일상생활이 불가능해지고, 체력이 부족하기 시작하니 번아웃까지 세트로 몰려왔다. 정말 고등학교 1학년에 공부를 못하고, 일상생활이 불가능하다는 것은 나에게 큰 상실감을 주었다. 마치 천장이 아득히 멀어지는 듯했다.

 이후 나는 고등학교를 불가피하게 휴학하게 되었다.
학교에서는 매 수업을 온전히 듣지 못하고, 밖으로 나가 과호흡을 하거나 보건실에 가 있어야 하는 시간들이 늘어났기 때문이다. 또한 학교생활이 전혀 불가능했다. 과목별로 수업 진도는 빠르게 나가고 있지만 나의 몸은 따라가지 못하였고, 많은 수행평가가 몰려왔지만 이 또한 몸이 버텨주지 못하여 포기해야 하는 날들이 늘어났다.
 결국은 자퇴와 휴학 중에 고민하다가 우울증과 공황장애가 좋아지고 나서 어디론가 갈 데를 보장해 두는 게 좋을 것 같다는 생각에 휴학을 결정하였다. 휴학을 하고 나서도 집에서 쉽게 나가거나 움직이지 못하는 등 우울감과 공황장애가 심했고, 역시 일상생활이 불가능했다. 이에 더해 바쁘게 돌아가는 학교와 지속되는 증상들에 싱숭생숭한 감정까지 더해져 나 자신을 컨트롤하는 것이 불가능했다. 구제 불능일 것만 같았다.
 그러다가 어느 정도의 시간이 흐르고, 조금씩 좋아지는 것을 느낄 수 있었다. 좋아진 것에 신난 나머지 그동안 못했던 것들은 다 해 보고, 공부도 열심히 했다. 너무 무리했는지 어느 순간부터 더 나빠지기 시작했다. 오히려 처음보다 상황이 심각해진 것이다. 또다시 원래 상태로 돌아가게 되고 나서부터는 이것저것을 시도해보면서 그저 버텨왔다. 좋은 글귀가 담긴 책을 필사하거나 뜨개질 공방을 끊어서 뜨개질을 배워 보거나 코칭 치료를 받아보기도 했다. 그리고 에세이 책을 쓰며 감정을 해소하고, 마음 치유를 하기도 했다.

첫 번째 에세이 작품

첫 번째 에세이 준비 과정

그러나 좀처럼 증상은 줄어들 기미가 보이지 않았다.

 나는 이렇게 힘들어하고 있는 와중에 여러 자책과 의문 속에서 빠져나오지 못했다. 이맘때쯤 다니고 있던 학원은 딱 2군데였다. 국어와 수학. 국어에서는 같은 나이지만 같은 학년은 아닌 고2와 같이 시험 진도를 나갔고, 수학에서는 미적분을 공부했다.

 학원을 다니면서 든 생각은 '독학하고 싶다'였다. 학원도 제대로 다니지도 못하면서 말이다. 매번 학원에 가서 50분밖에 안 되는, 1시간 30분 밖에 안 되는 시간도 버티지 못하고 집에 일찍 돌아가거나 수업에 집중하지도 못했다. 그런데도 마음 같아선 독학에 대한 생각이 강했다. 독학을 하겠다는 말이 학원을 다니지 않겠다는 것이 아니다. 단지 학원을 다니면서 학원에서 배우는 것과 배우지 않는 것까지 혼자만의 진도를 나가고 싶다는 것이다.

 예를 들어, 학원에서 미적분을 실력 정석으로 진도를 나가고 있다면 나는 일등급이라는 다른 교재를 사서 혼자서 더 풀고 싶은 마음이다. 국어와 영어도 마찬가지였다. 무언가 독학해서 어떤 경지에 이를 수 있을 것 같고, 어떤 것이든지 해낼 수 있을 것 같은 마음이었다. 그러나 나를 못하게 막은 것은 항상 나를 따라주지 못하는 체력. 그뿐이었다. 매일 나는 자책을 하고, 또 자책을 했다.

 왜 나만 빼고 다른 친구들은 빠르게 그리고 바삐 움직이며 공부하는데 나는 무엇을 하고 있지? 병 핑계를 들며 공부를 못하겠다고 하고 있는지는 않은가? 등 등. 이런 자책들은 끊임없는 의문으로 이어졌다. 과연 내가 정말로 병 때문에 공부를 하지 않는 것인지, 정말 우울하고, 몸이 다운되고 있는 건 맞는 건지, 몸 핑계를 들면서 잠을 자고, 공부하지 않고 하루 종일 쉬어도 되는 건지.

 그러다가 인생에 많은 터닝포인트가 있듯이 나에게도 우울증과 공황장애를 극복하는 데에 터닝포인트가 생겼다. 그날은 4월 9일. 몇 달째 병원을 다니던 어느 날이었다. 그날은 의사 선생님으로부터 많이 혼이 났던 날이었다.
 노력하지 않으면서 왜 제주도에서 서울까지 병원을 다니고 있냐며… 처음에는 당황스러웠지만, 차분히 생각해 보니 맞는 말 같았다.
 오랜 시간 동안 우울증과 공황장애를 겪고 있다보니 이겨내보고자 하는 의지도 많이 떨어졌고, 극복해내겠다는 절실함도 없는 것 같았다. 내가 극복해내기 위해서 노력하는 가족들을 보면서 다시 한 번 의지를 다져보았다. 꼭 이겨낼 거라고, 다시 학교로 돌아갈 거라고…… 쉽지만은 않은 길이고, 험한 길이지만…….

 그래서 우리 가족은 식습관을 먼저 고치기로 하였다. 단 음식, 자극적인 음식, 밀가루 음식들을 모두 끊고, 채소 과일

위주로 먹기로…….

면역력의 약 70%가 장에서 결정된다. 장 중 특히 대장 점막에 면역계 세포 70%가 존재하는데 이를 활성화시키는 것은 장내 세균이다. 따라서 장내세균의 종류와 수가 많아지면 면역력이 강화될 수 밖에 없다. 장내 세균을 살리기 위해서는 식물성 식품인 곡물, 채소, 콩, 과일 등을 먹고, 발효 식품인 된장, 낫토, 김치, 요구르트 등을 섭취해야 한다.

\- 장내 유익균을 살리면 면역력이 5배 높아진다

(후지타 고이치로 지음, 노경아 옮김) 중에서 -

 또한 장이 뇌와 연관성이 높다고 담당 의사 선생님께서 말씀해주셨다. 그래서 식습관을 조절하게 되었다.

중학생 때부터 학교 급식을 잘 먹지 않고, 매점에 파는 간식들로 배를 채워왔다. 그 습관은 고등학생 때까지도 이어졌다. 학교 급식을 먹으러 가는 게 그렇게 싫고, 그 시간에 공부하는 게 낫다고 생각한 나는 고등학생 때도 급식을 잘 먹지 않았다.
 그냥 점심을 거르기도 하였다. 그러다가 우울증과 공황장애가 오고 나서는 (우울증과 공황장애가 왔는지 잘 모를 때였다.) 떨어지는 체력과 힘 빠짐 등의 증상이 나타나 초콜릿, 커피 등 달고 카페인이 많은 간식으로 버텨왔다. 이러한 나의 무너진 식습관은 내가 심한 우울증과 공황장애를 겪는데 큰 부분을 차지하지 않았나라는 생각이 든다.

또한 앞서 말했던 나의 성격. 나를 잘 돌보지 못하여서 단음식들과 카페인을 섭취하며 건강이 나빠지고 있음을 깨닫지 못하고, 계속해서 먹고 있었던 것이었다. 이 또한 내가 우울증과 공황장애를 겪는 데 큰 영향을 미쳤을 거라고 생각한다.

이렇게 평소에 단 음식들을 많이 먹었던 나는 하루 아침에 못 먹게 되었으니 많이 괴로웠다. 식습관을 고치고, 식단 조절을 시작한 지 3일이 지나고 나서는 약 3일간 시야의 흔들림과 어지러움증이 나타나기도 했다. 그래도 나를 위해서 하는 것이기에 한 달만이라도 참아보기로 다짐을 했다. 처음 한 달 동안은 아주 소량의 밀가루 음식, 단 음식을 먹긴 했지만 나름 잘 참았다. 한 달간 아침에는 해독주스, 유산균 그리고 샐러드만 먹다 보니 엄청 단 음식들을 먹으면 오히려 속이 안 좋고, 아예 입조차 대기 어려워졌다. 그리고 점심과 저녁은 밥과 유산균이 많은 김치, 고기 등 영양소를 균형있게 섭취했다.

이쯤부터는 내가 어떻게 몸을 관리해야 하는지에 대해서 조금씩 알아가기 시작했다. 몸이 좋을 때 몸을 많이 쓰거나 무리를 하면 다시 다운이 되고, 다운이 된 몸이 오래 지속된다는 것이다. 그래서 정확하게 이 정도 쓰면 무리를 하지 않는 거야, 라는 기준점은 찾지는 못했지만 좋은 컨디션과 몸을 유지할 수 있게 되었다.

 물론 무리를 해서 일주일 동안 침대 밖에 나가거나 무언가를 쓰고 플래너를 작성하는 것 조차 힘들 때도 있었지만 말이다. 많이 무너지고, 일어서고를 반복하면서 몸으로 배워 나갔다.

 또한 나는 공부를 하다가, 혹은 학원에서 수업을 듣다가 공황이 올 것 같으면 필요시 약을 먹는다. 과호흡이 오기 전에 빨리 먹는다. 담당 의사 선생님께서는 과호흡과 같은 공황 증상들을 느끼지 않는 게 최우선이라고 했기 때문이다. 그리고 잠을 충분히 자고, 밥도 하루 세끼보다는 다섯 끼로 나누어서 충분히 먹으려고 노력하고 있다.

 집에 있을 때는 침대 밖에 나와 많이 움직이려고 노력하고 있고, 하루 한 번은 꼭 집 밖으로 나가 산책을 하거나 카페에 간다. 그리고 하루하루마다 무엇인가라도 규칙적으로 하려고 노력한다. 예를 들어, 국수영이라는 과목 중에서 오늘은 수학 문제 풀기와 같이 말이다. 처음 우울증과 공황장애를 겪을 때는 규칙적인 생활이 전혀 불가능했다. 그런데 오랜 시간 겪으며 깨달았다. 규칙적인 활동을 하는 것이 우울증과 공황장애 극복에 큰 도움이 된다는 것을 말이다. 마지막으로 나는 우울하고 몸이 다운이 되어서 아무것도 하지 못할 때 아무 생각 없이 컴퓨터 앞에 앉아서 글쓰기를 한다.

내가 다운되었을 때, 우울 증상들이 나타날 때 다시 기분을 업시킬 수 있는 도구를 찾은 것이다. 글쓰기가 나에게 힐링이 되고, 마음 치유가 된다는 것을 알기까지 매우 긴 시간이 걸렸다. 아마 내가 무엇을 좋아하고, 어떤 것에 흥미가 있는지 찾아가는 과정을 수차례 겪고 얻은 결과인 것 같다는 생각이 든다. 글쓰기를 하며 나의 하루를 돌아보기도 하고, 마음속에 있는 나의 감정들과 생각들을 글로 표현해내어 마음속 안을 비우기도 한다. 글쓰기는 평생의 나의 취미가 될 것이다.

이렇게 나는 식습관 조절과 극복해내기 위한 여러 방법들을 써가며 우울증과 공황장애를 극복해왔다. 완전히 극복했다고는 할 수 없다.

'하지만 우울, 공황 증상이 왔을 때 유연한 대처를 할 수 있고, 이에 대해 잘 알고 있으며, 나의 몸의 작동 원리를 잘 이해하고 있다면 극복에 있어서 절반 이상은 간 것이 아닌가, 라는 생각이 든다.'

4장
작은 것들을 위한 열매

정원과 구름 사이 햇빛 같은 존재

우리들의 그네

책의 힘

찬란한 책

復 회복할 복

—— 정원과 구름 사이 햇빛 같은 존재

 '인생'을 경험하기에 길다면 길고, 짧다면 짧은 17년을 인간 사회라는 곳에서 살아온 나에게는 항상 의문이 존재했다.

 어떻게 하면 주변 사람들과 싸우지 않고, 행복하게 살아갈 수 있을까? 아무리 사회에서 인간관계가 다양하기에 여러 가지 일들에서 다양한 감정을 겪는다고 해도 말이다.

 위와 같은 질문이 나에게 오랜 고민의 시간을 준 이유는 매번 싸울 때마다 감정 소비가 너무 많고, 스스로 분에 못 이겨 오히려 나 자신을 더 자책하게 되기 때문이다. 또한 싸울 때의 상대방은 나를 힘들게 하고, 무시하기 때문이다. 한참의 고민 끝에 조금은 알 수 있었다. 나를 힘들게 하는 사람들, 나를 무시하는 사람들에게 하는 최고의 방법은 무관심이라는 것.

 마치 세상에 없는 사람인 것처럼 대하며 철저히 내 삶을 살며 내 인생을 살아나가면 된다는 것이다. 그리고 우리들

주위에는 가지각색의 사람들이 존재한다는 것을 인정하고
수용해야 한다는 것을.

인간관계는 세상의 식물들과 꽃들이 다양하듯 가지각색이
다. 서로 미워하기도 하고, 싸우기도 하고, 한 자리 한 곳에
같이 있기도 하다. 마치 서로 줄기를 감아올리겠다고 서로
엉키고 엉킨 넝쿨나무들처럼. 그리고 우린 때론 관계를 정
리한다. 마치 정원을 가꾸듯이. 그러나 어느 정도의 시간이
지나면 다시 올라오는 가지들과 꽃들이 있다.
다시 정리를 하곤 한다. 이처럼 인간관계는 계속되고 있다.
그러나 이렇게 끊임없이 솎아내면서 정원을 함께 가꾸는 사
람이 있다는 사실을 잊어서는 안 된다. 스멀스멀 올라오는
정돈되지 않은 가지와 꽃들에 칼을 댈 때 아프고 힘들겠지
만 함께 해주는 사람이 있기에 가능하다는 것이다. 또한 힘
들고 아픈 순간에 함께 있어주는 것도 그들이다. 바닥을 기
어가고 있을 때, 힘들어 하고 있을 때 등을 떠밀어주며 앞으
로 나아가도록 도와주는 사람.

과연 '나'의 주변에는 그런 사람들이 얼마나 있을까. 결론
을 먼저 말하자면 생각하는 것보다 굉장히 많다. 단지 우리
는 보게 만드는 것, 듣게 만드는 것들만 보고 듣기 때문에
보이지 않는 것 뿐이다.
또한 우리는 좋은 것, 나에게 도움을 주는 것보다는 나에게
피해를 주고, 힘들게 하는 것에 온갖 집중과 걱정을 한다.

그러니 세상을 보는 우리들의 시야는 좁아질 수밖에 없고, 나를 힘들게 하는 것과 나쁜 것에만 집중할 수밖에 없다. 그러니 한 번 눈을 감고 나의 주변 사람들을 돌아보면 좋을 것 같다. 얼마나 나를 뒤에서 지지해주고, 떠받쳐주고 있는 사람들이 얼마나 많은지. 앞으로 나아갈 힘이 생겨날 것이다. 자신감과 용기가 생겨날 것이다.

우울증과 공황장애라는 병을 겪으며 인간관계도 병도 나를 모두 지치게 만들며 한창 힘들어하고 있을 때이다. 나는 나를 뒤에서 지켜주고 있는 사람들이 있음을 처음으로 깨닫게 되었다.

과연 나를 사랑해주고 아껴주는 사람이 몇이나 될까? 내가 힘들어하고 있을 때 발 벗고 일어나서 나를 위해 도와줄 수 있는 사람이 있을까? 라는 의문에 확답을 받았던 것이다. 정말 세상의 온갖 색채가 사라진 듯, 지구가 곧 멸망할 것처럼 모든 것이 까마득해 보일 때 종종 선생님들과 친구들의 위로와 응원의 메시지를 받아왔다.

지금 그 순간이 가장 힘들겠지만 또 지나고 보면 괜찮아져 있을 거고, 그보다는 더 나쁠 수 없다고. 또는 힘든 일이 있으면 꼭 연락하라고. 나와 같은 공황장애를 겪어 오던 친구는 다 안다며 우리는 뻔뻔하니까 꼭 살아남아서 행복하자고 해주었다.

이러한 말들을 들었을 때는 마음이 찢어질 듯 아팠다. 찡한 마음. 내가 왜 이렇게 작고 먼지 같은 일에 걱정하며 힘들어

했는지 이해할 수 없었을 뿐더러 진심으로 나를 도와주시는 선생님들과 친구들의 배려에 내 마음이 녹아들었다.

이렇게 우리는 항상 나쁜 점에만 집중하니 나쁜 것과 관련된 지구의 주파수들이 자석처럼 우리의 뇌에 달라붙는다. 항상 그리고 다른 일을 해야 할 때도 그 생각에만 매달려 있는다. 거울은 비추는 대로 비춰준다. 뇌도 마찬가지다. 뇌에 달라붙어 있는 것들만이 거울에 반사되어 우리의 생각과 눈앞에 나타난다.

'그러니 너무 나쁜 것, 힘든 일에만 매달려 있지 말고, 더 넓은 시야를 가지고 세상을 돌아보는 것도 나쁘지 않을 것이다. 나쁜 것이 있으면 꼭 괜찮고, 좋은 일들이 기다리고 있으니까.'

그리고 힘든 일들에만 집중하다 보니 이를 보며 속상해하는 주위 사람들을 신경 써주지 못하고, 스스로를 단단히 떠받쳐주고 있는 이들을 보지 못한다.

그러나 나를 도와주는 사람들을 생각하며 나의 주위를 둘러보다 보면 조금씩 걸리는 사람들이 존재할 수 있다. 마치 아름다운 가지각색의 장미를 둘러보다가 가시에 찔리는 것처럼. 우리 주위에는 항상 도와주고, 힘이 되어주고, 좋은 에너지를 주는 사람만 존재할 수는 없다. 우리의 인간관계는 엉키고 엉켜 하나의 원으로 풀어낼 수 없다. 그렇기에 우리는 많은 상처와 아픔, 슬픔을 겪기도 하고, 기쁨과 행복을 누리기도 한다.

이렇게 다양한 감정과 상황들 속 우리는 잊으면 안 되는 한 가지 사실이 존재한다. 바로 우리는 우리 자체로 행복한 존재라는 것이다.

햇빛은 우리들에게 따스함과 생명이 살아갈 수 있는 원동력, 생생함 등을 선물해준다. 그러나 때론 먹구름이나 흰 구름에 가려져 햇빛이 비치지 않을 때가 있다. 이때 '햇빛이 왜 구름에 의해 가려져야 하나요?' 아마 각각 떠오르는 이유들이 있을 수도 있고, 없을 수도 있다. 그러나 이보다 더 중요한 것은 '나'라는 존재가 왜 남에 의해 가려져야 하나? 라는 질문과 위 질문이 같다는 것이다.

 태양과 같이 '나'의 존재는 무한하고, 절대적으로 행복한 존재이다. 그러기에 작은 먼지 같은, 먹구름 같은 것에 가려질 필요는 없다. 인간관계와 힘들고 지쳐서 막막할 때 모두 적용해 볼 수 있다. 우리는 행복한 존재인데 남에 의해 가려져서 어느 길로 가야 할지 방황할 필요가 없다는 것이다.

'우리가 나쁘든 좋든 어느 상황 속에서 자신은 절대적으로 행복한 존재라는 것을 잊지 않는다면 인간관계에서 큰 상처와 아픔 없이 살아나갈 수 있을 것이다.'

—— 우리들의 그네

손이 잡히지 않는 공허한 온도 속에서 하나의 그네가 움직이고 있다. 왔다갔다하며 쇠가 녹슨 소리와 쇠끼리 부딪치고, 마찰을 일으키며 끽하는 소리가 함께 들린다. 그네가 가장 높은 곳까지 갔다가 지상과 가장 가까운 곳까지 갔다가… 왔다 갔다 한다. 마치 우리들의 기분처럼. 이러한 그네의 운동은 우리들에게는 당연한 것들이다. 우울증과 공황장애를 겪고 있다면…

매일매일이 항상 우울하고, 다운되어있고, 슬픈 것만은 아니다. 우리도 한때 행복하고, 증상도 개선될 때도 존재한다. 나의 하루일기를 보고도 알 수 있다.

[하루일기 #1]

공허한 나의 병 속

그 어느 희망도 보이지 않아

그렇게 떠나보내고 싶지 않아 붙들고 있지만

견뎌내보려 노력해보지만 점점 멀어지고

희미해져가는 나의 소망

누군가의 도움이 필요한 순간들

[하루일기 #2]

희망은 나를 두고 점점 멀어진다.

가지마, 가지마

우리 함께 손잡고 어디론가 떠나자.

그곳에선 울지 말고, 아무 생각 말고,

말없이 환하게 웃자.

[하루일기 #3]

밤이 오지 않기를 바라며

보내는 오늘의 하루

또 잠을 못 이루겠지

걱정하며 누운 잠 자리

온갖 걱정과 지친 몸과 마음이

따뜻한 이불 속으로 녹아 들어가 버리길.

[하루일기 #4]

꿈으로라도 꿈과 희망이 나에게 찾아와

나를 밝고 환하게 비춰주고 가

꿈으로라도 진정한 나를 데려와줘

그리고 가짜의 나를 떼어내 가줘

꿈으로라도 나의 소망이 이루어져

나에게 기쁨과 신나는 리듬을 주고 가

[하루일기 #5]

아름다운 무지개다리를 건너

다가오는 나의 소망

점점 더 가까이 가까이

손이 닿을 것만 같아

손을 내밀어 보지만 아직 시간이 더 필요하네

[하루일기 #6]

열심히 그리고 열정적으로

시작한 나의 꿈 같은 길

작지만 큰 벽이 나를 막고 있네

하지만 부딪히고, 쳐 보고, 뚫어볼거야

언젠간 무너지겠지

매일의 일기에는 극복해낼 수 있다는 희망과 같은 좋은 감정들, 외로움, 괴로움과 같은 부정적인 감정들이 혼재되어 있다는 것을 알 수 있다.

 이처럼 우리에게는 인생의 곡선이 있듯이 증상과 마음에도 곡선이라는 것이 존재한다. 단지 우울증과 공황장애를 앓고 있는 정도에 따라 증상이 조금 더 가벼울수록 컨디션의 곡선이 좋을 때의 시간이 더 오래 지속된다는 것. 그리고 우리는 점점 좋아지면서 그 곡선의 길이가 길어진다.

 그러면서 우리는 점점 극복해나가는 것이다. 컨디션의 곡선에 의해서 공황장애와 우울증 증상이 좋아지기도 하고, 나빠지기도 하고, 마음이 부정적인 감정으로 둘러싸여 힘들었다가, 행복을 느끼며 즐겁고 신날 때도 있다. 때론 이러한 것들이 우리에게는 혼란을 주기도 한다.

 그러나 이에 대한 대처 방안은 간단한 것 같다. 즐겁고 신날 때는 그 감정 그대로를 즐기는 것. 다만 너무 체력에 무리를 주지 않으면서 말이다.

 체력에 무리가 갈 정도로 신나서 많은 체력을 소모하면 컨디션의 곡선이 급격히 다운되어 이 상황이 오래 지속될 수 있다. 마치 운동을 하다가 다친 무릎처럼 말이다.

 완전히 낫기 전에 아픈 곳이 거의 다 나았다며 다시 써버리면 다시 또 아파 올 것이고, 그러면 전 상태로 돌아가게 될 것이다. 또 괜찮아질 때까지 기다렸다가 또 쓰고, 아프고…
이렇게 악순환이 되면 다친 무릎은 원래 상태로 돌아가기
어려울 것이다.

우울증과 공황장애도 마찬가지이다. 컨디션 곡선의 변동이
지속되는 와중에 좋아졌다고 체력을 많이 소모해버리면 다
시 힘들었을 때로 돌아갈 수밖에 없다. 그러니 컨디션의 곡
선이 높을 때 모든 체력을 쓰지 않고, 어느 정도의 체력은
남겨두는 것이 중요하다.

물론 나 역시 처음에는 어느 정도를 써야 체력을 덜 쓰는
건지 그 경계를 찾기 힘들었다. 그래서 1달 동안은 하루 마
구 체력을 쓰고 1주일 동안 아무것도 하지 못하고를 반복할
수밖에 없었다. 그러나 조금씩 체력 소모를 줄이고, 조절하
다 보니 알맞은 양을 찾게 되었고, 지금은 이에 발맞춰 나아
가고 있다.

**'그러니 지금 곡선을 따라가는 것이 미숙하고 잘 되
지 않더라도 너무 자책하거나 조급해하지 말자. 시간
이 충분히 해결해 줄 테니까.'**

반대로 컨디션의 곡선이 너무 낮아 힘들고 지칠 때는 그 순

간의 나의 상태와 감정을 스스로 지그시 바라봐 주고, 어루만져줄 줄 알아야 한다. 또한 한때에는 괜찮았었다는 걸 생각하며 다시 좋아질 것이라고 생각하고 믿는 것이 중요하다.

나는 이 컨디션의 곡선의 변동을 이해하고 받아들이게 되면서 우울증과 공황장애 증상이 나빠졌을 때 힘들고 지치고, 포기하고 싶은 부정적인 감정들에 둘러싸이기보다는 스스로에게 곧 괜찮아질 거라고, 좋아질 날이 또 올 것이라고 말해 줄 수 있게 되었다.

—— 책의 힘

어릴 적, 나는 책과 정말 멀었다. 책을 읽으라고 하면 읽기도 너무 싫었고, 왜 책을 읽어야 하는지 잘 몰랐다. 책을 읽고 나서 토론도 하고, 독서감상문도 쓰고, 관련 영화도 보는 논술 학원도 다녔지만 그때도 책을 잘 읽어가지 않았다.

책을 많이 읽어야 한다는 것을 알면서도 말이다. 그런데 우울증과 공황장애로 휴학을 하고 나서 얼마 안 가 갑자기 책에 빠져들기 시작했다. 정말 지금 생각해도 참 신기한 일이다.

우울증과 공황장애로 나 스스로를 위로해 줄 수 있는 자기계발서 책들을 계속 사 왔다. 이때는 책을 사랑해서가 아니라 단지 위로와 공감의 도구일 뿐이었다. 그러다가 어느 순간부터 책이 소중하고, 북 아이템들을 사면서까지 책 읽기 좋은 환경에서 읽고 싶은 책을 자유롭게 읽는 것이 좋아지기 시작했다.

 가장 책과 가까워진 결정적인 순간은 우리나라 국가대표 뮤지컬 음악 감독 김문정 감독님과 유튜브 채널 '겨울서점'을 알게 되면서다.

 겨울서점이라는 유튜브 채널에서 김겨울님과 김문정 감독님께서 만나서 김문정 감독님이 재미있게 읽으신 책에 대해서 이야기를 나누는 영상이었는데, 이를 보면서 책에 대한 많은 생각을 했다. 이래서 책을 읽어야 하는 구나. 바쁜 와중에도 시간을 내서 읽을 만큼 재미있는 책들이 있구나. 등등 이렇게 책의 매력에 빠져들기 시작했다.
이 외에 겨울서점 채널의 여러 영상을 보면서 북 아이템에 관심도 가지고, 책을 모으는 기쁨과 새 책을 사서 읽는 재미 등을 느끼게 되었다. 이렇게 뜻밖에 계기로 책을 통해서 인생에 대해서 또는 잘 모르던 분야를 알아가게 되었다. 또한 지금껏 읽은 책을 다시 새로운 시선으로 바라보게 되기도 하였다.

1. 모든 날에 모든 순간에 위로를 보낸다(글배우)

'힘들 때는 틈을 만들자 그리고 틈에 쉬어가자'

아, 힘들 때 쉬어가도 되는구나. 항상 힘들 때 힘들어도 이를 버텨내고, 견뎌내어야만 하다고 생각한 나의 생각이 잘못된 것이었구나,를 깨닫게 해준 '모든 날에 모든 순간에 위로를 보낸다'의 '틈'이라는 제목의 글 중 일부이다.

항상 무언가 바삐 돌아가야 하는 상황이 닥쳐오거나 답이 없는 상황 속에 처해져 있을 때가 있다. 나 역시 그러하였다. 우울증과 공황장애를 겪으면서 지속적인 우울감과 몸의 다운 등의 신체적인 증상으로 너무나도 힘들어하며 사경을 헤맨 적이 있다. 어떻게 할 수도 이를 벗어날 수도 없을 만큼의 심한 우울증과 공황. 그때마다 나는 왜 이렇게 힘든지, 내가 무엇을 잘못했지, 도대체 무엇을 해야 벗어날 수 있을까, 라는 생각들 뿐이었다. 힘드니 그냥 편히 쉬자라고 생각해 본 적이 없었던 것 같다. 항상 의미 있는 일들로 삶을 채워나가야 한다고 생각한 나는 의미 없는 일들로 하루를 채울 수도 있음을 알게 되었고, 힘들 때는 왜 힘든지 아무런 이유를 만들지 말고 그냥 쉬어야겠구나, 라는 것을 하나씩 생활에 옮기기 시작했다.

2. 가만히 있어도 괜찮다 말해주길(남궁원)

'자책하지 말아요. 더 잘하려고 그랬던 거예요.
후회하지 말아요. 더 잘하려고 그랬던 거예요.
더 잘하려고 노력했던 그 마음이 중요한 거예요'

약 9개월이라는 기간 동안 우울증과 공황장애라는 병을 겪
었다. 그 기간은 지옥과도 같았다. 매번 자책과 후회의 연속
이 되었고, 심지어는 이에 너무 지쳐 모든 것을 놓아버린 적
도 있었다. 그러던 와중에 위 문장을 마주하게 되었다. 처음
에는 너무나도 좋은 시점에 좋은 글을 만날 수 있음에 감사
했다. 그러다가 나를 돌아보게 만들었다. 내가 우울증과 공
황장애에 걸리기까지 모든 것이 내 탓인 것 같고, 모든 것
이 나의 잘못에서 비롯되었다고 생각했다. 그러나 깨달았
다. 내가 지금껏 해왔던 것들이 절대로 헛된 것이 아니라 잘
해나가려고, 잘 극복해나가려고 하던 것들이구나. 우울증과
공황장애로 아무것도 하지 못하고, 무기력하게 있는 사람들
도 있는데 나는 나름 극복해내려고 무언가라도 끄적이고,
노력하고 있었구나. 스스로에게 큰 위안이 되어 주었다. 세
상에는 그 어떤 것도 자신의 탓인 것은 없는 것 같다. 단지
상황이 그렇게 보이는 것 뿐이지.

3. 지금은...... 나를 사랑할 때 ......(김태균)

'험한 언덕을 오르려면
처음에는 서서히 걸어야 한다'

　큰일이든 작은 일이든 처음과 끝이 같은 사람이 되려면 페이스 조절이 필수이다. 깔끔한 일처리의 반복이 성공의 첫 걸음임을 명심하자.

　나의 우울증과 공황장애는 체력을 한 번에 많이 써버리면 급격히 다운이 되어서 우울과 공황 증상들이 오랫동안 지속되었다. 그러나 이를 알게 된 것은 야속하게도 우울증과 공황장애를 겪은 한참 뒤였다. 그래도 깨달은 것이 참 다행이라고 생각한다. 그 순간부터라도 이 루틴을 깨닫고 실천해나가면 되니까. 하지만 이는 마음대로 되지 않았다. 워낙 시험과 공부에 대한 부담감과 더 해야 한다는 조급함 때문에 한 달 이상 동안 하루 무리하게 공부를 하고 일주일 동안 아무것도 하지 못하는 상황이 꽤 반복해왔었다. 그러던 중 만난 글이 바로 '가만히 있어도 괜찮다 말해주길'이라는 책의 위 글귀이다. 나는 우울증과 공황장애 극복이라는 커다란 벽이라는 장애물이 있다. 그만큼 가야 하는 길은 험한 언덕이다. 그런데 지금껏 평지처럼 걸어왔다. 처음에는 조그만 양의 공부만 하고, 그 다음은 조금씩 늘려가면서 페이스 조절을 했어야 했는데 그렇게 하지 못한 것이었다. 그저 조급함 때문에 말이다.

　나는 제자리걸음을 하고 있었던 것이다. 위 글귀를 만나고 나서부터는 조금씩 내가 할 수 있는 한에서 조금씩 한가지씩 해보기로 했다. 그리고 너무 무리하고, 조급해하지 않기로 하였다. 그러니 조금씩 할 수 있는 것들의 범위가 넓어져 갔고, 원하는 공부도 조금씩 할 수 있게 되었다.

4.   애써 둥글게 살 필요는 없어(쓰담 에세이)

' 나 자신을 돌보지 않고
다른 사람의 생각에만 맞추다 보면
결국 나로부터 소외된 나는
삶의 중심을 잃어버리고 방황하게 된다'

'애써 둥글게 살 필요는 없어'라는 책 앞쪽에 있던 글귀이
다. 이 문장은 이 책을 아우르는 문장이라고 해도 과언이 아
니다. 책을 통해서 알게 된 것은 아주 명료했다.
결국 세상에 어떤 상황이든 '나'를 최우선으로 해야 하고,
'나'를 아는 것도 스스로이고, 감정과 생각을 컨트롤 할 수
있는 것도 결국 '나'이다 라는 것이다.

이처럼 자기계발서, 에세이 등의 다양한 분야의 책들을 읽
다 보니 인생이란 참으로 단순하기도 하고 복잡하게 느껴지
기도 했다.

'결국 인생이란 가시밭길도 꽃길도 걸어봐야 하고, 그 과정에서 우리는 성장한다는 것이다. 또한 토끼처럼 빠르게 달리는 것 같지만 가는 속도가 더디고 더뎌 답답하고, 힘들 때도 있다. 이 모든 것은 삶 중에 한 번쯤은 있을만한 것 같다. 그리고 우리는 이를 유연하게 대처하고, 넘어갈 수 있어야 한다. 그러니 실패와 고뇌, 좌절을 겪게 되는 것이다. 나이가 들어갈수록 우리는 더더욱 '나'라는 하나의 생명체를 만들어가고 있는 것이다. 단지 그 과정이 고되고 혹독한 싸움일 뿐.'

—— 찬란한 책

우울증과 공황장애를 겪으며 오랜 시간 스스로를 돌아보는 시간을 갖게 되고, 여러 가지 극복방법들을 시도하다 보니 눈길조차 주지 않고 있던 뮤지컬을 접하게 되었다.

노래만 부르면 음치에 박치에 나의 삶은 음악과는 멀다고 생각했다. 한때 부모님이 퇴근하기 전까지 시간 채우기로 다녔던 피아노 그리고 왜 배우게 되었는지 영문조차 모르는 약 5년간 오보에라는 악기를 연주하고, 오케스트라에 들어가서 합주를 한 경험은 있지만⋯

음악을 사랑했던 건 오보에를 연주했던 딱 5년이었다.

이렇게 전혀 관심조차 없었던 뮤지컬을 처음으로 접하게 된 것은 김문정 음악 감독님을 알게 되면서이다. 정확히 어떻게 김문정 음악 감독님을 알게 되었는지는 알지 못한다.

그러나 이 한 가지는 확실했다.

내가 뮤지컬이라는 한 대중문화 예술에 내 마음이 녹아들었다는 것을…
이렇게 뮤지컬에 귀를 기울이게 되면서 알게 된 책이 있다. 바로 김문정 음악 감독님께서 작성하신 첫 번째 에세이 <이토록 찬란한 어둠>이라는 책이다.

이 책을 읽으며 뮤지컬의 여러 작품과 뮤지컬의 한 무대를 만드는 데까지 각자의 역할은 물론 꿈과 삶, 보이지 않는 자리에서 고군분투하는 사람들의 모습까지 많은 것을 알 수 있었다. 그중에서 가장 나의 삶과 우울증과 공황장애로 힘들어하고 있는 나의 모습에서 바라보았을 때 인상 깊었던 부분이 있었다.

'어떤 목표를 향해서 최선을 다해 달려본 경험,
끈질기게 시도해본 경험이 성공 여부를 떠나 삶의
태도에 영향을 주었기 때문이다. (...)
우리나라 교육은 입시라는 좁은 문에 옹기종기 모여
그 세상이 전부라고 착각하게 만든다. 그곳에서 벗어나
조금만 다른 길을 가도 큰일 날 것처럼 느끼게 한다.
나는 스물이 되어 대학에 입학하고서야 그게
잘못됐다는 걸 알았다. 친구들이 선택한 건 틀린 길이
아니라 자신의 길이었을 뿐이다. 친구들 덕분에 결국
중요한 건 자기 자신이 누구인지 아는 일이라는 걸

늦지 않게 깨달았다. '

-이토록 찬란한 어둠(김문정) 중에서-

이 문장들을 읽다 보니 나의 인생에 대해 돌아볼 수 있었다. 매일 주변 사람들이 나에 대해 가지고 있는 기대감과 항상 잘해야 한다는 부담감을 가지고 있는 나에게 엄청난 희망을 불어 넣어 주었다. 지금 생각했을 때 인생의 많은 터닝포인트가 있었지만 그중에서도 '이토록 찬란한 어둠'이라는 책을 읽으며 얻은 삶이 가장 영향력이 크다.

병을 극복해나가기 위해 한없이 달려오고, 최선을 다한 경험이 나의 인생에 얼마나 큰 영향을 미칠지……

입시라는 좁은 문 앞에서 누가 먼저 나갈까 바보 같은 싸움을 하는 우리나라 교육에서 벗어나서 나만의 길. 즉 틀린길이 아닌 내가 꿈꿔오고 있는 길을 향해 끝없이 달려가보자……

우리들의 인생은 짜여진 각본이 아니다. 인생을 누가 만들어 놓은 길로만 따라가는 것이 아니라 자신의 새로운 길을 개척해 나가는 것. 그것이 가장 멋있는 인생이지 않을까싶다.

그래서 모든 이들에게 말해주고 싶다. 입시라는 좁은 문만 보지 말고 자신이 걸어가고 있는 길을 바라보았으면 좋겠다.

 얼마나 아름다운가 그리고 얼마나 깨끗한가! 분명 정말 아름답고 깨끗한 길을 걸어가고 있을 것이다. 자신만의 길이 세상에서 가장 아름다우니까! 그러니 네가 꿈꿔오고 있는 길을 향해서 갔으면 좋겠다.

—— 復 회복할 복

 공부하면 인상부터 찌푸려진다. 온통 머릿속에는 부담감과 기대감 그리고 온갖 걱정들뿐이다. 중학생 때부터 입시라는 또 다른 경쟁 사회에 뛰어들게 되면서 모든 것이 시작되었다.

 입학하거나 개학하면 1달간 정신없이 시간을 보내다가 수행평가를 보게 되고, 그러면서 중간고사는 다가온다. 중간고사가 끝나고, 잠깐 쉬었다가 다시 수행평가에 기말고사까지 몰려온다. 중학교는 고등학교보다 스케줄이 조금은 넉넉했지만 나에게는 중학교라고 예외는 없었다. 중학교, 고등학교를 다니며 이 모두 예민한 상태, 불안한 상태로 공부를 해왔으니까.

 밥 먹는 시간마저 아까워서 학교 급식을 거르고, 머리가 돌아가지 않으면 휴식이 필요한 시점인데 이마저도 아까워했다.

시험 전날에는 시험 범위를 전부 한 번씩은 봐야 한다는 강박으로 식사 없이 6시간을 줄곧 앉아 공부를 하기도 했다.

그리고 다른 친구들보다도 더 많은 스트레스를 받아왔다. 항상 잘해야 하고, 주위 사람들의 기대에 부응해야 한다는 강박 때문이었다.

나의 밖은 좁아도 나 스스로에게는 조금은 넉넉한 공간을 줄 수도 있었을 텐데 말이다. 여기에 더해 성격이 완벽주의이다. 그래서 더 피곤했다. 유인물이든 대회든 발표든 뭐든지 완벽해야 했고, 내용도 꽉꽉 채워야 성이 찼다. 이렇게 휴학하기 전까지만 해도 고등학교의 K-수시러로서 공부하는 데에 여유가 없고, 조급하며 스트레스를 많이 받고, 남의 시선을 많이 의식하는 피곤한 학교생활을 해왔다.

그러던 중 갑작스러운 우울증과 공황장애로 공부에 빨간불이 들어왔다. 공부고 뭐고 아무것도 할 수 없는 상황이 온 것이다. 처음에는 매우 조급해했다. 휴학하는 동안 증상이 좋아지면 맘껏 공부하면서 실력을 향상해 둬야지,라는 생각이었는데 나의 예상과는 다르게 흘러갔기 때문이다. 공부를 하면 체력에 무리가 가서 일주일 길면 몇 주일 동안 공부에 손을 대지 못할 정도가 되버리기도 했다. 좌절과 실망의 연속이었다. 그러던 중 코칭 치료를 받으면서 한 가지를 깨달게 되었다. 나의 본질은 행복이라는 것이었다. 나는 행복하고 소중한 나를 진흙탕에 빠뜨리고 있었던 것이었다. 저 옆에 맑은 시냇물이 있는데도 말이다.

행복이라는 내면의 깊은 단어 하나로 내가 공부를 대하는 태도는 180도 달라졌다. 정확히는 160도인 것 같다. 20도는 여전히 완벽해야 한다는 완벽주의가 남아있기 때문이다. 이 외에 나는 행복을 위해 공부하는데 왜 이렇게 부담감을 갖고 있는지, 나의 행복한 미래와 앞날이 기다리고 있는 것을 왜 이렇게 힘들게 가려 하는지에 대해 많은 생각을 가지게 되었다.

많은 고민과 의문 끝에 나는 스스로 행복한 존재임을 깨달으면서 공부를 하는 것이 나의 행복에 도움이 되고, 영향을 미친다면 그냥 마음껏 하면 되지라는 생각으로 부담감과 걱정, 불안감 등은 사라졌다. 공부에 대해 충분한 여유와 적당한 스트레스를 받게 된 것이다.

공부를 하지 못한 오랜 기간 때문인지 처음에는 집중이 잘 되지 않았다. 이해력도 떨어졌다. 그러나 여유와 기다림을 가지고 공부를 조금씩 하다 보니 다시 원래의 나의 공부로 돌아갈 수 있게 되었다. 그렇게 하루에 조금씩 체력에 무리가 가지 않을 정도로만 규칙적으로 하기 시작했다.

우울증과 공황장애를 극복하는 데에 중요한 것은 꼭 공부가 아니더라도 규칙적으로 활동하는 것이다. 우울하다고 매번 침대 속에만 있고, 불규칙적으로 먹고, 자고 하지만 규칙적인 생활로 우울증과 공황장애를 극복해 나갈 수 있는 것 같다.

또 공부에 대해 부담감을 가지고 있었던 이유 중 하나는 내가 향하고 있는 진로에 도달하기 위해서는 성적이 바짝 따라주어야 한다는 것이다. 그래서 정시보다는 수시 쪽으로 가는 것이 훨씬 유리하고, 쉽다는 것을 알고 있었다.

그러나 나는 고1 1학기 때까지는 수시로 성적을 잘 받으며 안정적으로 가고 있다가 2학기 때부터 우울증과 공황장애라는 병 때문에 야속하게도 수시가 무너지기 시작했다. 그러다가 불가피하게 휴학을 하게 되었고, 그 이후로도 공부를 할 수 없는 상황들은 복학하기 직전까지도 지속되었다.

나의 희망 학과인 의예과에 가기 위해서 통과해야 하는 문은 너무나도 좁고, 작은데 말이다. 멘붕이 오고, 당황스러울 수밖에 없었다. 어떡하라는 생각 밖에 들지 않았다. 나의 시선은 너무나도 좁아져 있었다.

그러다가 많은 친구들이 수시로 가다가 수시를 포기하고, 정시로 트는 경우가 많다는 것을 알게 되었다. 실제로 내 주변 친구 중에서도 1학년 때 수시를 포기하고, 정시로 대학교를 가려고 준비하고 있는 경우가 있었다. 그래서 용기를 얻게 되었다.

　나에게 수시라는 한 가지 길만 있는 것은 아니라는 것을. 복학하고 고1 2학기 수시를 준비하면서, 또는 준비하다가 나의 몸이 따라주지 않거나 또 우울증과 공황장애 증상들이 나타나 힘들다면 수시를 포기할 수 있을 것 같다. 그러고선 우울증과 공황장애가 좋아지면 그때 다시 공부를 시작하면 될 것 같다는 생각을 하였다.

　어쩌면 우울증과 공황장애라는 병이 낫기까지 오랜 시간이 걸릴지도 모른다. 하지만 인생은 길고, 늦게 대학교에 들어가는 사람들도 많으므로 천천히 내가 원하는 길을 향해 가보려고 한다.

　이처럼 나는 단순히 할 수 있다, 해낼 수 있다는 여유뿐만 아니라 인생의 여유를 갖게 되었다. 조금만 더 넓고, 크게 본다면 충분히 누구든지 원하는 목표에 도달할 수 있을 것이다.

Intermission
<찬란함을 위한 시>

이면 / 스펙 / 이겨내려 하지 않아도 / 인생이란 / 수레바퀴 / 흑백 / 편지의 설렘 / 미로 속 다이아몬드 / 마음 속 작은 움직임 / 공허한 온기 / 언젠간 그러나 반드시 / 팔레트 / 빈 스케치북 / 쉽게 무너진 나, 다시 일어설 나 / 구겨진 신문지 / 오늘의 날씨만 예측하지 말고 오늘의 날씨를 둘러보자 / 날 기다려 보아 / 바람에 흔들리는 걸까 / 봄이 올 거란 말 대신 / 나의 작은 꽃 / 방황 / 처절한 나의 처지 / 무기력이라는 이름으로 / 부러움 / 고마움 / 알고 있어요, 속상하시다는 것을 / 천둥과 무지개

—— 이면

너의 곁에서
구즌비가 내리고
온 세상을 밝혔던 해가 떨어지고
한 줄기 잎이 후두둑

나 정말 괜찮은 걸까?

거울 속 비친 나의 모습
힘에 겨우고, 겁에 질리고
모든 화살은 나를 향해 있는데

나 정말 괜찮은 걸까?

저기 저 아름다운 무지개를 보아
저기 저 해가 준 아름다운 노을을 보아
저기 저 가을이 준 빛나는 하얀 눈을 보아

저기서 누군가 와서 말했다
모든 것엔 이면이 있다고

—— 스펙

남들이 걸어보지 않은 길을 겪고 있는 너
너만이 알고 있는 고된 싸움

넌 특별해

누구도 겪어보지 못한 길을 걷고 있는 것만으로도
너의 스펙이니까

너의 아픔, 그 눈물 모두 너의 이야기야

그러니 괜찮아

—— 이겨내려 하지 않아도

남들이 겪어 보지 않은 과정
너만이 알고 있는 어려운 과정

이겨내려하지 않아도 괜찮아
여러 증상들을 겪고 있는 것만으로도 대단한 거니까

── 인생이란

지금 눈 앞 두 길
꽃길과 가시밭길
어느 곳으로 갈지 고민하지 말아
지나는 그 길이 어느 것이든
우리를 성장하게 하니까

지금 눈 앞 두 동물
토끼와 거북이
대비가 아닌 우리를 대비시키는 것
오늘보다 나은 내일을 만들고,
최선을 다해 달려가고 있어

좌절, 실패와 고뇌
괜찮아,
우리는 가지각색의 고난을 대처하고, 넘고 있어

나이가 들어가면 들어갈수록 우리는 더더욱
'나'라는 하나의 생명체를 만들어가고 있어
단지 고되고 혹독한 싸움일 뿐.

그러니 괜찮아

—— 수레바퀴

곧은 길이 있지만
그 길을 찾지 못해 돌고 돌아도
우리는 모두 같아

각자의 목표를 향해 가고 있다는 것

── 흑백

햇빛보다는 밤비가 속삭거려
포근한 이불이 아닌 차가운 방바닥
천장을 바라보며 누워있을 때
보이는 밝은 등

넌 누구를 도대체 비추고 있니
난 흑백 주위는 컬러

—— 편지의 설렘

우리는 편지를 펴 볼 때면 설레지

그런데 너의 두려움을 펴볼 때면
그 설렘은 어디 갔을까

—— 미로 속 다이아몬드

돌고 돌아도 보이는 건 벽인 미로
그렇게 허비한 오랜 시간

그때 끝이 보였다.
드디어 마주한 열린 벽

우리의 목표를 향한 길이 멀지라도
어떻게든 도착하게 될 목표

—— 마음 속 작은 움직임

꽁꽁 언 나의 마음
따뜻한 바람이 불어도
절대로 움직이지 않는 마음

누가 풀어줄까
풀어줄 수 있는 있을까?

그때 다가온 한 온기
나의 마음속 조그만 움직임
한 번 해보자.
시도 해보자.

── 공허한 온기

어디선가 불어오는 나를 감싸는 따뜻한 바람

그런데 왜 이렇게 춥지
무언가 내 마음 속이 텅 빈 느낌

—— 언젠간 그러나 반드시

거북이가 달려간다
하지만 너무 느리다

나의 속도는 몇 키로미터일까

거의 거북이 수준

느려도 괜찮아
결국은 너의 꿈에 도달할 거잖아

—— 팔레트

가지각색의 색깔이 있는 팔레트 위
하나의 붓

어떤 색깔을 골라야 하나 고민할 때

해주고 싶은 말
어느 것이든 마음껏 골라보아

인생은 팔레트처럼 다양하고
그 앞을 예상할 수 없으니까

—— 빈 스케치북

공허한 한 점에서 시작된 나의 스케치북
어떻게 그려나가야 하나 고민되지만

고민하지 않아도 괜찮아

인생은 짜여진 각본이 아니니까

—— 쉽게 무너진 나, 다시 일어설 나

너무나도 쉽게 흘러내리는 눈물
내가 너무 약한가
왜 이렇게 쉽게 무너지지는 거지
고민이 되지만

아픈 눈물을 흘리는 나를 돌아서서

다시 한 번 시도해본다
할 수 있다

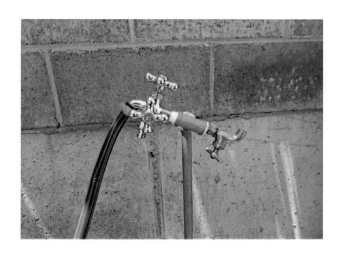

—— 구겨진 신문지

구겨진 신문지
왜 구겨졌을까?

무언가 숨기고 싶은 게 있는 걸까
무언가 피하고 싶은 게 있는 걸까

마음껏 신문지를 구겨도 좋지만
언젠간 펴질 신문지

어렵겠지만 현실을 마주해보는 것은 어때

찬란한 우울증과 공황장애

___ 내일의 날씨만 예측하지 말고
오늘의 날씨를 둘러보자

내일은 비가 올 것이다
이렇게 우리는 내일을 예상하기 바쁘다
내일을 걱정하고 내일은 어떤 일이 일어날지 모르니 대비하
려 한다.

그런데 왜 지금의 날씨는 둘러보지 않는 것 일까
오늘의 나의 날씨
한 번쯤 내가 어떠한지 둘러보고 어루만져주면 안 될까

—— 날 기다려 보아

내가 지금 제자리 걸음을 하고 있는 것 같다면

내가 지금 거북이처럼 가는 속도가
더디고 더뎌 답답하다면

내가 지금 위험한 정글을 탐험하고 있는 것처럼 가야할 길
이 험하다면

잠시 모든 걸 내려놓고
딱 몇 초만이라도 너 자신을 보살펴줘

그리고 너 자신을 기다려줘
스스로 따라오도록
조급하거나 불안해 하지 말고

그런다면 조금이나마 괜찮아질 거야

—— 바람에 흔들리는 걸까

바람에 흔들리는 걸까
내 마음이 흔들리는 걸까

알 수 없는 인간관계 속 나의 고민

무얼 어찌하면 되는 거지

사실 인간관계는 엉키고 엉켜
하나의 원으로 풀어낼 수 없는 인간관계

그러니 너무 풀어낼려고 고민하지 않아도 돼

풀릴 건 알아서 풀릴 거니까
마치 고무줄처럼

인간관계가 늘어지기도 하고, 짧아지기도 하지

그러니 괜찮아

—— 봄이 올 거란 말 대신

우리 같이 하자

힘든 일이 있으면
괜찮아질 거란 말 대신
힘들지? 라고 건네는 위로의 말 대신

우리 같이 이겨내보자

── 나의 작은 꽃

나의 모든 상황은 언제 끝날까
기다리고 있는데

끝이 보이지 않는 앞
막막하고 답답하기만 하는데

날 기다려 본다
언젠간 그러나 반드시 꽃이 피는 순간이 오겠지

—— 방황

나 어떡하지
요새 너무 의욕이 없어

나한테 문제가 있나 싶기도 하고
한 번도 이랬던 적이 없어서
이게 맞나 싶기도 하고

알아, 정말 혼란스럽다는 거

근데 무기력 하다는 건
이제는 더 이상 너의 몸이 나아갈 힘을
잃었다는 거야
그러니 하고 싶은 대로 마음껏 해

이런 말을 들었을 때 불안할 것이다
누구나 그럴 것이다

그러나 지금 쉬지 않으면 더 나아갈 수 없다

때론 인생을 의미 없는 일들로
채우는 것도 의미있는 일이니까
힘 빼고 느긋해지길 바래요

—— 처절한 나의 처지

내 옆에 누군가 지나간다

나와 다른 것 같은
나와 동떨어져 있는 것 같은
그런 사람이

거울을 바라보는 나는
참 불쌍하고 처절하다

나의 상황이, 나의 아픔이

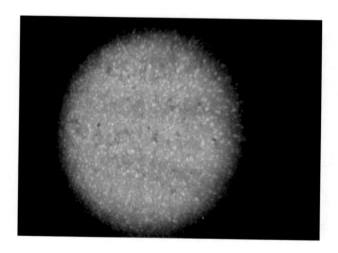

—— 무기력이라는 이름으로

무기력이라는 이름으로
난, 쉬고 있지는 않을까

무기력이라는 이름으로
난, 아무것도 하지 않아도 되는 걸까

이래도 되는지 정말 모르겠어
그래도 나를 번뜩 정신 차리게 하는 말
힘 빼고 느긋해지기

인생이 항상 해야 되는 일들로 채워지지
않아도 된다는 그 말

—— 부러움

저기 저 사람이 부럽다
저기 저 사람이 마음껏 하고 싶은 것을 하는 것이 부럽다

나도 언젠간 그렇게 되겠지
라는 하나의 희망으로
앞으로의 고된 길을 버텨내보자

—— 고마움

모두를 만족시킬 수는 없는 것 같다
인생에서, 인간관계에서

그러기에 만족시킬 수 없는 사람들보다는
나를 믿고, 의지해주는 그런 사람에게
더 집중하기를 바란다

—— 알고 있어요, 속상하시다는 것을

화내는 것 보다는
위로와 용기가 필요한데
계속 정신 차리라고 나에겐 힘든 말들만 들려온다
짜증난다

그러나 안다
속상해서 그러신다는 것을
나도 속상하다

어떻게 해야 고난과 역경 속에서 빠져나올 수 있을지
너무나도 큰 숙제이다

—— 천둥과 무지개

수없이 몰아친다
천둥과 번개가
온 동네가 번쩍하고, 비는 큰 소리를 떵떵내며

너는 얼마나 아름다운 무지개를 만들어내려고 그러니

천둥 뒤 무지개
온갖 시련과 고통, 역경을 견뎌낸 너에겐
정말 아름다운 무지개가 피어있을 것이다

—— 에필로그

저는 더 이상 우울하지도 불안하지도 않습니다.

저는 약 9개월 간의 휴학을 마치고 곧 고등학교 1학년으로 다시 복학해야 하는 고등학생입니다.

아직 저에게는 해결해야 하는 여러 가지 짐들이 있습니다. 물론 우울증과 공황장애를 겪으며 삶의 여유를 되찾기도 하고, 공부에 대한 부담감을 내려놓을 수 있다는 것을 알게 되었지만 아직도 주위의 기대감, 스스로 갖는 부담감 등이 남아있습니다.

곧 학교로 돌아가기에 이에 대한 짐을 좀 더 내려놓고, 저의 꿈을 바라볼 필요가 있습니다. 또한 지금까지 우울증과 공황장애를 겪으며 쌓은 삶의 노하우를 가지고 더 나은 학교 생활을 하고, 상황마다 유연한 대처가 필요하다고 생각합니다.

저는 고등학생으로서 이 책을 쓰며 많은 것을 배우고, 스스로를 돌아보는 시간도 많이 가지게 되었습니다.

우울과 공황이라는 증상들이 나타날 때 저는 그 속에 빠져들려고 하고, 그런 감정들을 인정해버리고 있다는 것을 알게 되었습니다. 빠져나오려고 하지 않고요. 그래서 마음을 먹었습니다.

독기와 극복해내겠다는 의지를 가지고 우울한 감정들과 공황장애 증상에 빠져나오려고, 나의 것이 아니다 라고 생각하려고요. 실제로 우울증과 공황장애가 올 때마다 이를 시도해보니 효과가 있었습니다. 저는 이렇게 작지만 소중한 변화가 지속되고 있습니다.

사람들은 변화라면 대부분 A가 B가 되는 거라고 생각하지만 변화는 A라는 속성을 계속 가지고 있되, 조금의 부분이 바뀌는 것을 의미한다고 생각합니다.

체력을 무리하면 우울과 공황이 더 심해지기에 체력의 적정선을 찾아야 한다는 것, 우울과 공황 증상이 나타났을 때 빠져들지 않아야 한다는 것 등을 알게 되고, 몸소 배우면서 조금의 변화를 해나가고 있고, 그 변화는 저를 극복이라는 목표를 향해 한 걸음 한 걸음 나아가도록 하고 있다고 생각합니다.

여러분이 우울증과 공황장애로 힘들어하면서 아무것도 하고 있지 않다고 스스로를 자책하고, 자신을 더 힘들게 할 수도 있지만, 그 감정은 없는 것이라고 말씀드리고 싶습니다.

여러분은 변화하고 있습니다. 단순히 우울이라는 자신의 감정을 돌아보고, 보살펴 봐주는 것도 하나의 변화이고, 극복해내려는 의지가 담긴 것입니다. 그러니 저와 같이 공황장애와 우울증, 번아웃 등이 와서 저와 같은 고민과 힘든 상황들을 겪고 있는 분들께 이야기드리고 싶습니다.

거북이가 달려가지만 우리가 보기에는 느린 것처럼 변화가 더디고 더뎌 힘들더라도 변화는 지속되고 있다는 사실을 잊지 않으셨으면 좋겠습니다.

원하는 만큼 속도가 나지 않더라도 여러분은 어제보다 나은 내일을 만들어나가고 있고, 할 수 있는 만큼 최선을 다하고 있습니다. 그러니 부디 우울증과 공황장애를 앓고 있는 분들과 이외에 다른 이유들로 힘든 상황들을 겪고 있는 분들 모두 힘과 용기를 내셨으면 좋겠습니다. 또한 모든 분들이 다시 건강한 일상으로 돌아올 수 있도록 도와주세요.

고등학생인 제가 시간을 쪼개가며 이 책을 쓸 때마다 매번 가족의 도움이 있었습니다. 책을 쓰겠다는 욕심과 열정으로 가득했던 저를 든든하게 응원해준 아빠, 엄마, 동생에게 깊은 감사함과 사랑의 마음을 전합니다. 감사하고 사랑합니다.